Denise Assis

CLÁUDIO GUERRA:
MATAR
E
QUEIMAR

Copyright ©Denise Assis, 2020

Direitos reservados e protegidos pela lei 9. 610 de 19. 02. 1998.
É proibida a reprodução total ou parcial sem autorização, por escrito, da editora.

Coordenação editorial: Sálvio Nienkötter
Editor-executivo: Raul K. Souza
Editora-adjunta: Isadora M. Castro Custódio
Editor-assistente: Daniel Osiecki
Editora-assistente: Francieli Cunico
Revisão: Daniel Osiecki e Francieli Cunico
Capa e editoração: Carlos Garcia Fernandes
Produção: Cristiane Nienkötter
Preparação de originais: a Autora

Dados Internacionais de Catalogação na Publicação (CIP)
Andreia de Almeida CRB-8/7889

Assis, Denise
  Claudio Guerra : matar e queimar / Denise Assis. -- Curitiba : Kotter Editorial, 2020
  192 p.

  ISBN 978-65-86526-33-2

  1. Guerra, Claudio, 1950- – Biografia 2. Guerra, Claudio, 1950- – Narrativas pessoais 3. Perseguição política - Brasil - História 4. Crime político - Brasil - Narrativas pessoais I. Título

CDD 920.9

20-2636

Kotter Editorial Ltda.
Rua das Cerejeiras, 194
CEP: 82700-510 - Curitiba - PR
Tel. + 55(41) 3585-5161
www. kotter. com. br | contato@kotter. com. br

Feito o depósito legal
1ª Edição
2020

Denise Assis

CLÁUDIO GUERRA: MATAR E QUEIMAR

Denise Assis

Jornalista — na profissão, passou pelos principais veículos de imprensa, militando predominantemente no jornalismo escrito: O Globo, Jornal do Brasil, Veja, Isto É, Revista Manchete e Jornal O Dia, onde foi responsável pela edição do Caderno de Educação, vencedor do Prêmio Ayrton Senna de Jornalismo como "Veículo do Ano", em 1999. Fez parte também da equipe vencedora do Prêmio Esso de 1987, pelo Jornal do Brasil".

No momento, atua como colunista do coletivo: "Jornalistas pela Democracia", publicado pelo portal Brasil 247.

De dezembro de 2012 a abril de 2013, trabalhou como consultora da Unesco, investigando, para fins da construção do relatório final da Comissão Nacional da Verdade (CNV) - entregue à presidente Dilma Rousseff, em dezembro de 2014 -, a história brasileira recente. Foi responsável pela reconstrução dos fatos em torno dos "navios-prisões"; uma das redatoras do capítulo que enfoca o apoio das empresas ao golpe de 1964, além de participar do conjunto de redatores do volume II: Textos Temáticos, do relatório, no capítulo – "Civis que colaboraram com a ditadura".

Assessora-pesquisadora da Comissão da Verdade do Rio de Janeiro (CEV-Rio), da fundação (maio de 2013), à entrega do relatório final, em 10 de dezembro de 2015. Na CEV-Rio, coordenou os trabalhos que elucidaram o episódio conhecido como "Bomba da OAB", sendo responsável por convencer a principal testemunha a apontar o culpado pela entrega da bomba, depois de 36 anos sem solução para o caso histórico.

Coordenou também a investigação que esclareceu o cerco aos militantes de esquerda, que ficou conhecido como: "Chacina de Quintino", colocando por terra a versão da repressão de que os militares foram recebidos à bala. Obteve o testemunho do perito, que revelou ter tido o seu laudo refeito.

Em 2013 lançou o romance "Imaculada", inspirado na história da Madre Maurina Borges da Silveira, única freira no Brasil, presa, torturada e banida para o México. O romance-histórico foi escrito sob a motivação da série de reportagens que publicou no Jornal do Brasil, no ano de 2003, sobre a saga da madre, presa pela ditadura, em outubro de 1969.

A convite da Comissão da Verdade do Estado de São Paulo - Rubens Paiva, no final de 2013 prestou depoimento de quase duas horas sobre a Madre Maurina Borges da Silveira. O depoimento consta do Relatório Final publicado no encerramento dos trabalhos daquela Comissão.

Convidada pelo acadêmico Jean-Pierre Bertin Maguit, escritor especializado em temas sobre a Resistência francesa, doutor em História e professor de estudos sobre Cinema da Universidade de Bordeaux, participou como representante do Brasil, da coletânea "Histoire Mondiale des Cinémas de Propagande", que reuniu um autor de cada país onde o cinema influiu sobre os acontecimentos políticos. O livro foi publicado em Paris, em 2007, pela Editora Nouveau Monde.

De 2006 a 2011, integrou a equipe de assessores da presidência do BNDES. Além dos setores habituais da macroeconomia, acompanhou mais de perto o de Cultura, e o de micro e pequenas empresas.

Em novembro de 2008, paralelamente à atividade de assessoramento à presidência do BNDES, realizou, no espaço da Caixa Cultural-RJ, a exposição "AI(s) Nunca Mais – Imagens que o Brasil não viu ou esqueceu", com 180 fotografias – a maior parte inéditas – sobre a ação da censura no AI-5 e sobre a repressão na Ditadura Militar. A mostra marcou os 40 anos da edição do Ato Institucional e foi apontada pela Veja Rio entre as cinco melhores exposições do ano.

Em 27/05/2002 publicou reportagem no Jornal do Brasil, tendo como tema os soldados da borracha, em que demonstrava que todos os trabalhadores recrutados para a exploração do látex, na Amazônia, durante a Segunda Guerra Mundial, o foram na mesma condição dos convocados para o combate nos campos da Itália. Do total de embarcados para a selva, (cerca de 50 mil), apenas 25 mil voltaram com vida. A matéria questionava o porquê de os sobreviventes não receberem pensões como ex-combatentes. O material, enviado à deputada federal Vanessa

Graziotin, (PCdoB-AM) - com a sugestão de que reivindicasse para eles algum tipo de pensão - virou Projeto de Emenda Constitucional (PEC). Depois de tramitar por 13 anos, em 11 de março de 2015 foi aprovado como Emenda Constitucional nº 78, beneficiando 11.900 seringueiros ainda vivos e familiares dos já falecidos.

A partir de um conjunto de reportagens investigativas e pesquisas na área dos Direitos Humanos, recuperou o conjunto de 14 curtas produzidos pelo Ipês, para servir como peça de propaganda à aceitação pacífica ao golpe de 1964, pela sociedade. Para contextualizá-los escreveu o livro "Propaganda e Cinema a Serviço do Golpe - 1962/1964", lançado em 2001, (hoje transformado em E-book pela Amazon).

Também colaborou com revistas econômicas como Carta Capital, Exame, Rumos (ABDE) e Conjuntura Econômica (FGV).

Sumário

11	"Matar e Queimar": um livro para iluminar os porões da nossa História.
17	Prólogo
25	Introdução
35	Ana Rosa Kucinski e Wilson Silva
37	Ronaldo Mouth Queiroz
40	Merival Araújo
42	Emmanuel Bezerra dos Santos e Manoel Lisboa de Moura
46	João Batista Rita
49	Joaquim Pires Cerveira
52	Eduardo Collier Filho
59	David Capistrano da Costa e José Roman
66	Thomaz Antônio da Silva Meirelles Netto
77	Primeira conversa com Claudio Guerra. Vitória, ES, 25 de fevereiro de 2014
123	Segunda Conversa. 26 de fevereiro de 2014
143	O Aparelho Repressivo
183	Mesmo após a destruição dos fornos, MPF conclui pela veracidade das declarações de Guerra

"Matar e Queimar": um livro para iluminar os porões da nossa História.

Francisco Carlos Teixeira Da Silva

Houve um tempo, na História recente da República no Brasil, em que falar em tortura era crime. Uma verdade dita a meia voz, em pequenos grupos, passada em panfletos datilografados, de mãos em mãos, em cartas às autoridades estrangeiras e em denúncias aos organismos internacionais e tribunais e entidades de defesa aos Direitos Humanos. Boa parte da própria população brasileira não sabia, ou não acreditava, que a tortura era uma política de Estado, utilizada contra seus próprios cidadãos.

No Brasil, no entanto, a tortura era não só uma política de Estado. Matava. E em virtude disso, outros crimes eram cometidos para encobrir seus rastros. Funcionários públicos com recursos do Estado, acobertados pelo Estado, protegidos pelo Estado se incumbiam de apagar os seus vestígios. E para que não restassem provas, corpos – corpos jovens de opositores, fossem envolvidos ou não com a guerrilha urbana ou rural – eram levados para fornos clandestinos, onde deveriam sumir sob forma de fumaça e cinzas.

A palavra "tortura" era banida da imprensa, censurada.

Para completar a desaparição da "tortura" da História do Brasil, providenciou-se uma série de medidas legais, ocultamentos, embaralhamentos administrativos, que culminariam na Lei da Anistia, de 28 de agosto de 1979, que deveria "virar a página" da nossa História, e impedir que quaisquer dos crimes – assassinatos, tortura, ocultação de cadáver, manipulação de provas, falsidade ideológica e tantos outros - jamais pudessem ser investigados.

O mito da "ternura" brasileira, de uma "História incruenta" do povo brasileiro, com as mudanças e grandes transformações ocorrendo via acordos e conciliações deveria ser sempre reafirmada. A "transição democrática" entre a Ditadura Militar e a Nova República não deveria ser exceção a esta tradição benevolente da nossa História pacífica e compassiva.

No entanto, o jornalismo investigativo e a pesquisa histórica, na contramão da versão edulcorante da história oficial das elites, viria nos mostrar a face cruel de uma "Outra História". O livro "Matar e Queimar", de Denise Assis, que temos a honra de aqui apresentar, cumpre o papel de lançar luz a este período da história recente do país. Embora sejam não mais de algumas décadas passadas, a ação de grupos poderosos – muitos ainda no poder, outros recentemente alçados ao poder – buscaram ocultar fatos, nomes, processos que envolveram os anos finais da Ditadura Militar no Brasil.

Denise Assis, jornalista, responsável por uma vasta obra investigativa sobre o nosso tempo, no entanto, não aceitou a decisão dos poderosos e acomodados de 1977 e 1988 – essa longuíssima fase da História do Brasil chamada de "Abertura" em que uma minoria quis decidir o destino dos brasileiros. De posse de um extraordinário conhecimento de História do Tempo Presente, uma verdadeira enciclopédia da nossa política, Denise Assis, buscou (re)estabelecer os processos que permitiram por quase três décadas a livre atuação de um indivíduo que representa, em tudo, o regime civil-militar instaurado em 1964: o torturador Claudio Guerra.

Delegado do DOPS, um policial matador, torturador e incinerador de corpos, Claudio Guerra, entrevistado por Denise Assis, é o personagem central deste livro. Na análise realizada nestas páginas – para além da biografia de um criminoso que na velhice, convertido em pastor se diz arrependido – emerge a anatomia de um regime político. Para quem busca as razões políticas e ideológicas da ação do Delegado do Dops e seus companheiros, advertimos, como Dante, para abandonar, desde logo, suas ilusões: o perfil descrito por Denise Assis é estarrecedor. Embora seja um homem de nível universitário, boa cultura, e guarde uma efigie de Mussolini, nada há de ideológico na ação do policial-torturador. Suas razões vão emergir ao longo da entrevista: festas, adultérios, pedofilia, carros, prestígio pessoal e social e muito pouco além.

Em meio a tudo isso escancara-se a total ausência, na Ditadura, de controles legais, às ações dos seus agentes: pode-se impunemente sequestrar, torturar, matar, mentir, ocultar corpos, manipular a Justiça, usar as estruturas do Estado e a administração pública. Cargos, salários e nomeações são vistos e tidos como prêmios e provas de poder e impunidade. Os limites da gestão pública são ignorados. O Poder do "sistema" repressivo, punitivo e executante é sem limites e garante, desde o topo da Ditadura, a realização, retribuição e a impunidade dos seus agentes.

Trata-se, exatamente, de usar os meios do Estado, e de "combater o comunismo" para promover o seu próprio bem estar. Nada mais. Não há ideologia, há vontade e premiação.

Ao entrevistar e analisar um agente "exemplar" do "sistema" a autora desvenda o próprio "sistema" – isso é fundamental: Denise Assis vai muito além das práticas comuns de certo tipo de História Oral vigente hoje. Longe de transcrever, distante e fria, o depoimento de um torturador confesso do regime militar, Denise Assis se transforma, ao longo da entrevista, em ator político do livro. Ao contrário de entrevistadores clássicos de criminosos de guerra, como no caso de Joachim Fest em face de Albert Speer, envolvido e enganado nos argumentos do seu depoente, Denise é firme, sem ser rude, e em momento algum perde seu objeto de vista: quem autorizou as mortes? Quem definia o uso da tortura? Onde se torturava? Quem ordenava a desaparição dos corpos? Não há, em momento algum, a ilusão de inocência, de ter agido em nome de um ideal ou de uma causa: com certo gosto de "vidro e lata na boca" Denise sabe, bastante bem, do que o "sinhozinho" de bons modos a sua frente foi capaz.

Ponto por ponto – locais, datas, meios, armas e instrumentos – com o cuidado de pedir e de ser atendida – de produzir material do próprio punho do torturador e assassino, Denise Assis produz material novo, muito além daquele já publicado pelo próprio entrevistado sobre o longo período da Ditadura Militar no Brasil. A luz começa a espraiar-se sobre cantos e desvãos de uma época que estava oculta, que se queria oculta e que se mantinha oculta.

Um imenso rol de nomes emerge da memória notável do policial: todo um esquema de poder que revela o funcionamento do sistema torcionário no Brasil, em especial dos anos em que "comunidade de informações" se rebela contra a chamada "Abertura' e busca, através do Terrorismo de Estado, impedir a própria realização das políticas propostas por esse mesmo Estado em direção a uma "Abertura" controlada e segura, temerosa de um processo verdadeiramente democrático.

Na luta entre as facções de militares, policiais, burocratas, "irmandades" de proto-milicianos fascistas emerge uma história assustadora da montagem da famosa "Escuderie Le Cocq", o Esquadrão da Morte, hoje claramente o antecessor dos milicianos que se apossam do Estado e de amplos territórios e ameaçam o Estado de Direito no país.

Pairando sobre tudo – ontem como hoje - as ações e rituais da Maçonaria – uma sombra poderosa ainda a ser mais detalhadamente estudada na sua ação conspirativa. Nunca a metáfora "ovo da serpente" pode ser anunciada com tamanha justeza como nestas páginas de Denise Assis.

A autora consegue que o entrevistado descreva, em detalhes, como, muito além de quaisquer compromissos "ideológicos", tais homens – e não somente o torturador-depoente - estavam movidos por uma ganância sem limites: o envolvimento de empresários, bancos, associações empresariais e organizações de negócios, incluindo a Igreja e governos estrangeiros, que garantiam um fluxo constante de recursos financeiros que irrigavam contas e condições de vida muito acima do patamar de funcionários públicos.

A tortura, mortes e desaparecimentos eram pagos com carros, moradias, festas, adultérios, redes de prostituição e pedofilia num mundo sórdido onde o bordão era a defesa da Democracia contra os comunistas.

Denise Assis, uma mulher só, munida de documentos, fotos, biografias e um gravador de som, buscou num bairro periférico de Vitória, um velho que traz em si a história do seu tempo: cruel, suja e sórdida, contudo nossa história. Em nenhum momento tergiversou com o homem na sua frente: contradisse, insistiu, argumentou e extraiu dados novos, desconhecidos. O Castelinho da Lapa, local das conspirações; a História completa do atentado do Rio Centro; a Cadeia de Comando do Terrorismo de Estado; o papel dúbio/duplo de Golbery do Couto e Silva; o envolvimento da Presidência da República na Tortura, comprovando o seu caráter como política de Estado... Mas, acima de tudo Denise Assis mostrou até onde pode chegar a condição humana sob uma ditadura. Se, o poder corrompe, como diz Ladislav Mnacko, o poder absoluto corrompe de forma absoluta.

Claudio Guerra revelado por Denise Assis é a completa expressão da corrupção moral do poder.

*Professor Titular de História Moderna
e Contemporânea/UFRJ
Prêmio Jabuti/2014*

Prólogo

Eleger Claudio Antônio Guerra como personagem das páginas de um livro não foi uma escolha fácil. Na verdade, o acaso pesou na decisão. Havia um material bruto, guardado, a ser exposto. Torná-lo público só virou ação quando a sua figura ganhou concretude histórica, em 31 de julho de 2019, data em que Ministério Público Federal do Rio de Janeiro decidiu que eram "verdadeiras" as suas confissões a respeito do destino dado aos corpos de 12 "desaparecidos políticos" do período da ditadura (1964/1985).

Aliás, sempre que preciso grafar essas datas, reluto. É que no meu entender a ditadura perdurou até 1989, quando elegemos o primeiro presidente pelo voto direto. O que 1985 marca é o fim do regime militar. O início da "transição", que nos tirou o direito de gritar nas ruas a nossa alegria pela morte da opressão. Aqui, no Brasil, fomos digerindo a transmutação aos poucos, via Colégio Eleitoral e voto indireto. Tivesse sido aprovada na madrugada de 25 de abril de 1984 – quando foi derrotada a emenda das "Diretas Já" –, um dos mais belos movimentos cívicos da história recente, e teríamos tido um dia de júbilo, tal como o dos chilenos na vitória do "NO" –, em 5 de outubro de 1988 –, que desbancou do Palácio de La Moneda o ditador Augusto Pinochet.

Ao referendar e denunciar Claudio Guerra como responsável por incinerar nos fornos da Usina Cambayba, em

Campos dos Goytacazes, Norte Fluminense, os que resistiram ao arbítrio, o MPF o transformou em um personagem sobre o qual valia a pena se deter e ouvir o que tinha a dizer. Não só pelo que pudesse contar sob a sua ótica – soando para muitos como "gabolice" –, mas pelo que podia acrescentar aos episódios obscuros do período.

Depois de ouvir testemunhas, comparar depoimentos e observar as conclusões de uma perícia feita a pedido da Comissão Nacional da Verdade, nos fornos da usina, o Ministério achou por bem concluir que, sim, eram "verdadeiras" e coerentes as revelações de Guerra. Desde 31 de julho de 2019 passou a ser conveniente trazê-lo à cena.

Neste mesmo dia, a Justiça determinou que Claudio Guerra deveria ter os seus proventos e bens bloqueados. A esta altura, Guerra já estava em casa, cumprindo prisão domiciliar, por uma condenação a 18 anos e dois meses de prisão, como mandante da morte de Rose, sua ex-companheira. De tudo que confessou ter feito – crimes que detalha de próprio punho ao longo das páginas deste livro –, ele nega peremptoriamente ser o responsável pela morte de Rose, morta ao lado da irmã, Glória, no interior de um veículo, a caminho do Rio de Janeiro, nos idos de 1970. "Depois de confessar tudo o que eu confessei, eu não teria motivos para negar, se fosse o autor. Sobre este caso, eu descobri que o tenente Odilon era um dos executores e o matei. Foi só o que eu fiz. Mas na morte das duas eu não tive nada", minimiza, como se o ato de tirar uma vida coubesse no advérbio "só".

Para Claudio Guerra, a condenação em um processo que diz ser "falho", não tem a ver com a morte de Rose. E, atribui: "é uma forma de perseguição por tudo o que eu disse, pelos nomes que apontei, pelas coisas que eu fiz no passado". A julgar que tem razão nessa tese, Claudio Guerra é, hoje, no país, o único agente da repressão condenado e em cumprimento de pena por crimes cometidos no período.

Atualmente (nos falamos pela última vez, antes do isolamento social da pandemia) a sua rotina se resume a idas ao médico e três vezes por semana à fisioterapia, por problemas motores e algumas alterações cardíacas. Prestes a completar 80 anos – no dia 25 de agosto deste ano – Claudio Guerra é monitorado por tornozeleira eletrônica e tem que apresentar relatório e atestado a cada saída e volta para casa. Tarefas que diz fazer com naturalidade, pois na sua concepção, estar vivo e poder desfrutar do convívio da família é, para ele, "lucro".

Os deslocamentos são feitos a bordo do carro de Marcos (32 anos), ou na companhia de Claudio (38 anos), os dois filhos que moram com ele. Sua renda resume-se a um salário mínimo que recebe do INSS. Não conseguiu se aposentar como delegado e tampouco como policial. As despesas são complementadas pelo trabalho de consertos de roupas feito pela mulher, Célia, e a ajuda de nove filhos. Todos contribuem um pouco para que não lhe falte o essencial. "Eu venho lutando, mas não posso fazer nada. Quando eu ainda estava saindo, pegava uma representação para poder vender um imóvel... Ganhava uma comissãozinha para ter uma vida melhor, mas eu não produzo nada, então... A vida é muito difícil. Chegar aos 79 anos dependendo de todo mundo, lutar como eu lutei a vida toda para ter uma velhice assim, é muito difícil", deixa escapar, para logo recompor o discurso.

"Mas eu acho que eu não tenho de reclamar de nada também não, porque eu tive como perseverar e não dei valor. Era uma vida muito vazia, a que eu tinha, né? Hoje eu sei. Recuperar o tempo perdido, não dá mais. Não tenho que reclamar de nada não. Acho que tudo também é consequência da vida que eu levei", alui.

A casa onde eu o entrevistei em fevereiro de 2014, no bairro de Itapuã, de classe média, próximo à praia, teve de ser abandonada em função da impossibilidade de continuar honrando o aluguel. Claudio mora atualmente em um bairro chamado Santos Dumont, mais distante e mais pobre. A nova residência – onde Célia mantém o ateliê de costura em uma salinha – é de um pastor e amigo, do Rio. Após perder os pais o pastor pediu a Guerra que cuidasse da casa onde residiam, sem pagar nada.

Seu único contato extra-familiar é com o pessoal da igreja, com o qual se reúne uma vez na semana. E em todos os domingos ministra a classe de adultos da escola dominical, composta de 10 a 15 alunos. Eles vão até a sua casa para ter aulas na varanda.

Como qualquer chefe de família, orgulha-se ao falar das atividades da prole. "Os meus filhos são maiores. A mais nova, que é a Alexia, formou em Direito. Ela e o Marquinho. Os dois formaram e passaram no exame da OAB sem fazer cursinho. Agora é só esperar receber a carteira da OAB, para poder ajudar o pai", comenta rindo, consciente da inversão que as suas escolhas lhe impuseram.

Os nove filhos de Claudio Guerra são de vários casamentos. São cinco mulheres e quatro homens. A maioria está casada, alguns residindo em Minas, na cidade de Mandela.

Ele tem uma filha também casada, que mora em Vitória e, a caçula, de uma antiga relação, vive próxima, com a mãe. Eles lhe deram 12 netos e três bisnetos "Uma bênção, tem que ver", comenta, como qualquer "vovô" descrevendo a família.

Desde que veio a público para falar do seu passado, em 2012, ao lançar o livro "Memórias de Uma Guerra Suja", Claudio Guerra já cursou Teologia e fez Psicanálise ligada à bíblia "que se chama psicanálise Pauliana", explica. E, ainda, pós-graduação em Psicanálise familiar.

Sua ligação a temas psicanalíticos talvez tenha a ver com o incômodo provocado pelo passado. Suas explicações para ter contado a sua participação em "eventos" tão "macabros", no entanto, são sempre atribuídos à questão da fé.

"Eu" fiz tudo isto [os depoimentos] não por arrependimento. Eu fiz porque eu hoje, como um homem que teme a Deus, creio que a vida humana não pode ser tirada em circunstância nenhuma. Tortura nem se fala. Eu, graças a Deus, no meu passado, não tenho esta mácula, a da tortura. São vidas que eu tirei, que eu achava que estava certo quando participei. Mas quando eu resolvi, eu disse: não, o país, o nosso povo, precisa saber para que não aconteça mais o que aconteceu, irmão contra irmão, brasileiro contra brasileiro, eu achava que era um serviço que eu estava prestando ao país. Não era do tipo: ah, eu estou acusando porque foi assim, foi assado. Não. Eu toda vida mostrei. Atendi a um chamado para trabalhar, achando que estava fazendo o correto. Em circunstância nenhuma nós podemos deixar os jovens de hoje enveredar por esse caminho. Eu achei que era um exemplo. Hoje eu quero servir às pessoas que eu puder ajudar, mais nada. Mas tem muita gente que não me vê assim".

Até eu ligar para ele para falar da ideia de transformar o material da entrevista que fizemos em livro, Claudio Guerra não sabia que os fornos onde depositou os corpos para serem incinerados, tinham sido postos abaixo, misteriosamente. Incrédulo, reagiu:

"Rapaz..." Olha bem. Das vezes que fui lá, eu sugeri: por que não se faz uma perícia? Tinha o forno, né? Debaixo do forno tinha uma canalização que dali passava por debaixo da terra e ia até uma piscina, onde os detritos da cana eram depositados. E tinha um mau cheiro terrível. Por isto é que ninguém sentia o cheiro da carne queimada. Por causa do vinhoto, dos dejetos da cana. Então, não foi feita perícia nenhuma. Pelo que eu saiba, nas vezes que eu fui lá não foi feita. Hoje a nossa polícia técnico-científica é muito avançada. Vocês – Comissões – teriam condições de pedir peritos do exterior para poder fazer uma perícia ali, que aí iria constatar, não é? Mas eu acho que a Comissão não tinha muito poder", avalia.

Impactado com a revelação da destruição dos fornos, prosseguiu: "Olha, eu nem sei. Eu não sabia que eles tinham derrubado. Estou sabendo por você, agora. Não sabia mesmo. Em todos os depoimentos eu sugeria que ali tinha que ser um memorial, para que os familiares tivessem um lugar para homenagear os seus mortos".

Numa espécie de lamento, diante da impossibilidade da realização da perícia pela qual diz que sempre torceu, encerrou a conversa, dizendo: "eu confessei o que eu fiz, agora, se querem dar credibilidade ou não querem é problema de cada um. Eu confessei, dei os detalhes, expliquei como foi, quais as pessoas que participaram. Agora, se houvesse uma prova técnica, se tivessem feito a perícia, acabaria toda a discussão. Infelizmente não aconteceu".

A discussão a que Claudio Guerra se refere parece ter sido encerrada no dia 31 de julho de 2019, quando o procurador Guilherme Garcia Virgílio, do Ministério Público do Rio de Janeiro, declarou em sua denúncia de duas mil páginas:

"Diante" das constatações, o MPF decidiu denunciar Claudio Antonio Guerra por ter agido movido por "motivo torpe (uso do aparato estatal para preservação do poder contra opositores ideológicos), visando assegurar a execução e sua impunidade, com abuso do poder inerente ao cargo público que ocupava.

Assim, com o objetivo de assegurar a impunidade de crimes de tortura e homicídio praticados por terceiros, com abuso de poder e violação do dever inerente do cargo de delegado de polícia que exercia no Estado do Espírito Santo, foi o autor intelectual e participante direto na ocultação e destruição de cadáveres (previsto no artigo 211 do Código Penal) de pelo menos 12 pessoas, nos anos de 1974 e 1975.

Introdução

Cheguei a Vitória, capital do Espírito Santo, num cair de tarde de fevereiro de 2014, quando o mar engolia o sol de verão. A imagem, tão romântica quanto banal, quase me fez esquecer o motivo da minha ida até lá. O que me levava a Vitória não era nada romântico e muito menos banal.

O hotel, localizado na orla, tinha no térreo um restaurante modesto, porém charmoso. Um bistrô, na verdade. Jantei olhando para o mar azul, antes que a noite o tornasse escuro. Mal conseguia comer ou mesmo tomar o suco de laranja. Na garganta estava atravessado o motivo que me levara até lá. Afinal, ficaria cara a cara com o "matador" e ex-delegado do Departamento de Ordem Política e Social (DOPS) da capital capixaba, Claudio Guerra, conforme depoimento do próprio, em seu livro: "Memórias de uma Guerra Suja". O livro saíra há dois anos e, nele, sua história relatada na primeira pessoa, ainda reverberava à esquerda, que o chamava de "mentiroso" e à direita, que o classificava como "traidor".

O lançamento mereceu matéria de destaque nos cadernos especializados, mas agora precisava ser tratado à luz dos trabalhos das Comissões da Verdade. Por tudo isto, Claudio estava reticente, mas concordou em me receber e falar sobre o seu passado, agora que havia se convertido à uma igreja pentecostal e se tornado pastor evangélico. Encarava os relatos sobre as suas "atividades" como "missão".

O livro de Guerra havia sido publicado pela mesma editora que lançouo meu"Imaculada", em 2013: um romance histórico inspirado na saga da Madre Maurina Borges da Silveira, freira seviciada na tortura e trocada pelo cônsul japonês, Nobuo Okushi[1], durante a ditadura civil-militar. Maurina ficou exilada no México até 1981, quando retornou ao Brasil.

Com esta "ligação" involuntária, foi fácil localizá-lo. A editora Topbooks, gentilmente, me forneceu os contatos.

A viagem, por solicitação do presidente da Comissão da Verdade do Rio e ex-presidente da OAB-RJ, Whadih Damous, foi preparada com discrição. A assessora administrativa cuidou dos detalhes: reserva de hotel e passagem. Sabia que eu estava indo a Vitória, mas não o motivo desse meu deslocamento. Eu não tinha ideia se Wadih havia comentado a viagem com algum dos membros do Conselho da CEV-Rio. A mim cabia arrancar do pastor Claudio Guerra tudo o que ele pudesse contar dos tempos em que atuou na repressão, matando "subversivos"–como a repressão definia suas vítimas– e levando corpos para serem queimados na Usina de Cambahyba, no município de Campos de Goytacazes, norte

---

[1] Em 11 de março de 1970, o cônsul japonês em São Paulo, Nobuo Oku-chi, foi sequestrado quando ia do trabalho para casa e levado para um cativeiro no bairro de Indianápolis, onde ficaria por quatro dias. Para reaver o diplomata, o governo militar deveria libertar cinco presos políticos (a Madre Maurina Borges da Silveira era um deles), além dos três filhos menores de uma das detentas. Quando o grupo chegou ao México, Okuchi foi solto. Dos 15 militantes que participaram do sequestro, oito foram presos e cinco morreram enfrentando as forças de segurança. <https://acervo.oglobo.globo.com/fatos-historicos/em-1970-sequestro-de-diplomatas-garante-liberdade-de-115-presos-politicos-9778656#ixzz5mhLGA0Zi>. Quanto ao mesmo parágrafo v
ASSIS Denise, Imaculada, 1ª Ed. Rio de Janeiro: Editora Top-books, 2013; e.
GASPARI Elio, A ditadura Escancarada, 1ª Ed. São Paulo: Companhia das Letras, 2002.

do Estado do Rio de Janeiro, distante cerca de 280 quilômetros da capital.

Calculei a entrevista em duas etapas. A decisão foi acertada. O assunto era pesado demais para se esgotar em um dia. Queria que Claudio Guerra tivesse toda a calma do mundo para buscar na memória e nos armários o que tivesse de provas, documentos ou detalhes importantes na reconstituição dos fatos já mencionados em seu livro, e outros, ainda por contar. E, importante: reservei espaço na pequena mala, para o livro: "Dossiê da Ditadura – Mortos e Desaparecidos Políticos no Brasil – 1964-1985". Um "catatau" de 780 páginas que contém o resumo da biografia e das circunstâncias da morte e do desaparecimento dos atingidos. Nele, Claudio poderia olhar e reconhecer os rostos de suas vítimas. Pensei que isto o auxiliaria a reconstituir os fatos que iria relatar. Era um livrão indispensável naquela viagem ao passado.

Tínhamos combinado às 10h do dia seguinte à minha chegada. Havia uma noite no meio a atravessar. Dormi mal e acordei muito preocupada com o tamanho da responsabilidade. A ordem era "enxugar" todos os detalhes que ele tivesse sobre as suas incumbências de abater, com tiros certeiros, sem chance para erros, os que resistiam à ditadura.

O café da manhã era no terraço do hotel, localizado na Avenida Beira Mar, à beira de uma piscina e com vista para o infinito, mas nada me parecia atraente naquele momento. Comi apressadamente sem nem sequer registrar o gosto do que engolia. Tudo tinha sabor de papel. A boca seca tornava difícil a refeição. Voei para o quarto.Nada de atrasos. E nada poderia ser esquecido: o celular; o gravador digital–sem risco de arriar a bateria, e com capacidade para 12 horas de gravação ininterruptas; o carregador; um conjunto de pilhas novas; um bloco de papel e algumas canetas. Não havia espaço para vacilo. A sandalinha confortável, de solado de corda e pouca altura, foi escolha acertada para não aquecer os pés, que transpiravam como se eu fosse derreter pela base.

Claudio morava num bairro afastado, banhado pela praia, mas sua casa ficava numa rua interna, sem calçamento. Cheguei até lá de táxi. Em frente à casa, confortável, mas sem luxo, embora espaçosa, havia uma obra. Um barulho de serra infernal. Não precisei tocar a campainha. Dois cães vira-latas logo apareceram na varanda e latiam como desesperados, dando o alarme da minha presença. Claudio apareceu na varanda, de bermuda de linho marfim, e camisa de mangas curtas, bege. Caminhou ao meu encontro, mas sem pressa. Abriu o portão, me convidou para entrar, e se desculpou pelo barulho. Sim, o barulho. Cães e serra, combinação perfeita para atrapalhar a gravação. Notei que falava baixo. Procurei nele o "matador", encontrei um sinhozinho de cabelos brancos e gestos suaves.

Busquei dentro de mim alguma emoção, algum sentimento. Zero. Algo no meu circuito estava desligado. Caminhei mecanicamente atrás de Guerra, que abriu a porta da sala, onde a conversa se daria. Um console de granito sustentava um arranjo de flores artificiais. Uma mesa de vidro com pés de granito claro, e seis cadeiras brancas, trabalhadas em pátina, compunham o ambiente, arrematado por um aparador, onde uma jovem sorria de um porta-retratos. Ele me apontou uma das cadeiras. Não fiquei confortável. Naquele momento preferia um sofá que me acolhesse, meio que abraçasse... Iniciei a conversa perguntando pela jovem. "É a minha filha", respondeu, com uma ponta de orgulho, como costumam os pais. Não me lembro se fiz algum comentário. Devo ter dito um elogio qualquer. Era uma forma de iniciarmos a conversa.

Perguntei se podia gravar tudo o que conversássemos. Ele não se opôs. Mas os cães sim. Reiniciaram a sinfonia de latidos, enquanto Claudio tentava expulsá-los gritando por seus nomes, com o tradicional: "pra fora!". Inútil. Assim, com os latidos ao fundo, comecei as perguntas usando a técnica de buscar montar primeiro um perfil, para assim ir amaciando o diálogo. O fato de ele e eu termos nascido em Minas foi o primeiro ponto de contato. O meu entrevistado foi ganhando confiança e caminhando com o seu relato. Nomes, sobrenomes, ficavam difíceis, abocanhados pelo passar dos anos, que tratou de apagá-los. Será? (Aparecia a primeira dúvida da repórter. Somos treinados para desconfiar. Não seria um truque, para livrar a cara de alguns? E se fosse? Eu não teria antídoto. Fazer o quê?).

A mulher, Célia, que até então não havia aparecido na sala, chegava com um café fresco e um bolo de fubá quentinho. Manda a regra que aceitemos, não só para transmitir simpatia, mas também para dar um tempo para o entrevistado relaxar. Tal como no café da manhã, não me foi possível distinguir se o bolo estava gostoso ou não. A boca parecia forrada de lata. O café caiu bem, aguçou os sentidos. Os cachorros, agora mais calmos, depois de catar os farelos com lambidas rápidas, saíram para a varanda.

Voltamos a conversar. Agora, sim, já entrando nos temas de interesse. Claudio Guerra falava com desembaraço, revelando espantosa memória. Nas eventuais falhas, recorria à Célia, solicitando carinhosamente a sua ajuda. Numa delas pediu que buscasse a efígie de Benito Mussolini, reproduzida num medalhão de uns 15 centímetros de diâmetro, em bronze, para demonstrar a veracidade do seu relato. Contou que o recebeu quando iniciou os trabalhos de "matador", numa espécie de entronização na "Irmandade", sobre a qual falaremos mais adiante.

Numa outra, que ela localizasse uma revista onde aparecia, ainda com cabelos escuros, ao lado de integrantes da Polícia Federal, num evento no Hotel Glória, (tradicional hotel localizado no bairro do Flamengo, no Rio de Janeiro)[2], onde tramaram as ações da "Operação Condor".

A operação era uma espécie de "tratado de cooperação", entre os países da América do Sul, todos sob regimes ditatoriais à época. Por esse "tratado", os "subversivos" podiam ser presos e torturados em qualquer um desses países, usando a força local, sem que isto fosse encarado como "ingerência" em seus territórios, ou causasse incidentes diplomáticos. Pelo contrário. Listas de "procurados" ou de exilados, circulavam entre todos, para que os personagens ali contidos fossem eliminados ou presos e reconduzidos aos seus países de origem. Em geral isto não acontecia. O habitual

---

[2] O hotel Glória foi o primeiro prédio em concreto armado da América do Sul e o primeiro hotel a receber a classificação de cinco estrelas no Brasil. Foi inaugurado no dia 15 de agosto de 1922 e logo tornou-se um sucesso. O estabelecimento caiu nas graças dos grandes artistas do cinema, cantores, políticos e chefes de Estado. Em 2008 (oito anos após o fechamento), o Hotel, que pertencia à família Tapajós, foi vendido por R$ 80 milhões ao empresário Eike Batista. Em fevereiro de 2014, o hotel foi vendido ao fundo suíço Acron, numa transação de R$ 200 milhões. Em 2016 foi adquirido pelo grupo Mubadala, fundo soberano de Abu Dhabi. Desde então, não se tem mais notícia de uma nova data de reabertura do Glória. <https://oglobo.globo.com/.../hotel-gloria-abracado-por-cariocas-em-ato-pela-valorizacao>; <...https://diariodorio.com/historia-do-hotel-gloria/>.

era que se transformassem em "desaparecidos políticos", uma aberração dos tempos sombrios. (Um exemplo deste "acordo" foi o caso de Francisco Tenório Jr. Tinha 35 anos e estava em turnê com Vinicius de Moraes e Toquinho, pela Argentina. O músico foi sequestrado pela ditadura do país e nunca mais apareceu).

Para mim, não havia limite de tempo. O meu tempo era o tempo dele. A conversa evoluiu sem dificuldades por horas, até que Célia nos lembrou que precisava da mesa – a esta altura ocupada com o livrão, que eu levara, o gravador, o carregador de celular, o celular, a medalha trazida por ela, enfim, todo o material de trabalho – para servir o almoço.

Fiquei desconfortável. Então eu iria dividir a mesa com o ex-matador... Olhei instintivamente para a mão de Claudio, movimentando os objetos, retirando-os e depositando sobre o console. Era a mão de um homem maduro, nem grande nem pequena. Não havia nela nada que denunciasse a sua antiga atividade. Não pude deixar de pensar que aquela era a mesma mão que um dia atirou sobre tantos corpos,e agora preparava a mesa para me servir um almoço. E não havia como recusar. Eu me lembrei que na chegada não vi nada em volta da casa que pudesse chamar de restaurante ou bar. Como sair dali, agora que os pratos chegavam à mesa? Não tive opção.

Não. Eu não me lembro o que havia no almoço. Apaguei da memória. Sei que foi uma comida caseira, nada especial. Servida com gosto, por Célia.

Um café fresquinho arrematou a refeição. Retomamos por mais duas horas, talvez. Ele queixou-se de que estava cansado e precisava sair, pois visitaria uns presos, a quem dava assistência espiritual, no final da tarde. Antes de me despedir, marcamos a continuidade do depoimento para as 10h do dia seguinte. Sugeri que tirássemos uma foto. (Era preciso documentar que estive, de fato, com ele).

Em seguida abri o livro organizado pelos familiares dos presos e desaparecidos políticos, que eu tinha marcado com clips nas páginas onde estavam as fotos e a descrição das circunstâncias das mortes de cada um dos citados em seu livro, "Memórias de uma Guerra Suja", como sendo suas vítimas ou levados por ele, da Casa da Morte, em Petrópolis, para a Usina Cambahyba.

Recomendei que os examinasse com atenção e fizesse fichas, que ele fixaria na página correspondente, onde estavam os clips, contando o máximo de detalhes sobre a morte ou o que se lembrasse sobre cada um. Passei-o às suas mãos, recolhi o material e me despedi.

Claudio fez questão que Célia me deixasse, de carro, no hotel. Pensei por instantes que pudesse correr risco, pois desde o lançamento do seu livro, em que desagradava setores radicais de direita, ele vinha sendo ameaçado. Mas decidi aceitar a gentileza. No trajeto Célia elogiou o marido atencioso com a família, falou dos apertos financeiros, da confecção de roupas femininas que foi obrigada a fechar por isto, e do quanto temia pela segurança dele. Não pude acrescentar nada àquela conversa. Apenas ouvi.

Ao chegar ao meu quarto corri para um banho quente, longo, que lavasse de mim todo aquele passado. A vontade de descer para jantar era nenhuma. Não tinha fome, mas ver gente diferente me faria bem, pensei. Comi apenas uma omelete e pedi um chope para acompanhar. Tinha certeza de que não dormiria tão cedo, não fosse aquela tulipa de chope gelado, arrematado por dois dedos de colarinho. Programei o despertador no celular para às 8h. O cansaço e o chope me fizeram dormir pesado.

No dia seguinte tratei de me apressar e agora, sabendo o que iria encontrar, consegui saborear melhor as frutas do café, a xícara de achocolatado. Arrematei com um cafezinho. Escolhi um longuinho preto, sem mangas, que havia levado. O dia quente e ensolarado pedia um vestido. Faltava só mais esta etapa e eu estava satisfeita com o andamento do depoimento que havia ido buscar.

Desta vez os cachorros já não fizeram tanto escândalo, e por sorte a serra da construção em frente não estava funcionando. Já à vontade comigo, Claudio me recebeu com o livro debaixo do braço. "Fiz a minha lição de casa", foi logo dizendo. Parecia aliviado, ao sentar-se com o livro no colo, para mostrar as fichas escritas em letra de forma, sobre papel verde água, e presas nas páginas pelos clips que eu tinha deixado. Abriu na página onde estava a foto de Ana Kucinski Silva e Wilson Silva. Sua mão tremeu, ao deslizar sobre a foto de Ana. Fez questão de ler o que estava escrito. A voz embargou.

– O que o emociona nesta história? – Eu quis saber. Claudio voltou os olhos para o porta-retratos de onde sua filha lhe lançava um sorriso.

– Ela podia ser minha filha – respondeu, visivelmente emocionado. Descreveu minuciosamente as sevícias que percebeu no corpo de Ana, as marcas de mordidas nos seios, a calcinha suja de sangue – denúncia do abuso sexual – , enquanto repetia que podia ter sido com a sua filha. Que ele podia ser o pai daquela moça.

– Depois que a gente tem uma filha, essas coisas batem muito fortemente na gente – justificou.

Nesta hora fiquei balançada. Não vi fingimento em sua emoção. Ela me parecia genuína. Mas e todos que o acusavam de estar mentindo? E tantos detalhes descritos? Precisaria ter muita imaginação e ser bom ator, pensei... Dúvidas rolando pelos meus pensamentos. Claudio fez questão de ler ficha por ficha, que havia preparado. Iniciou pela da Ana Rosa.

Ana Rosa Kucinski e Wilson Silva

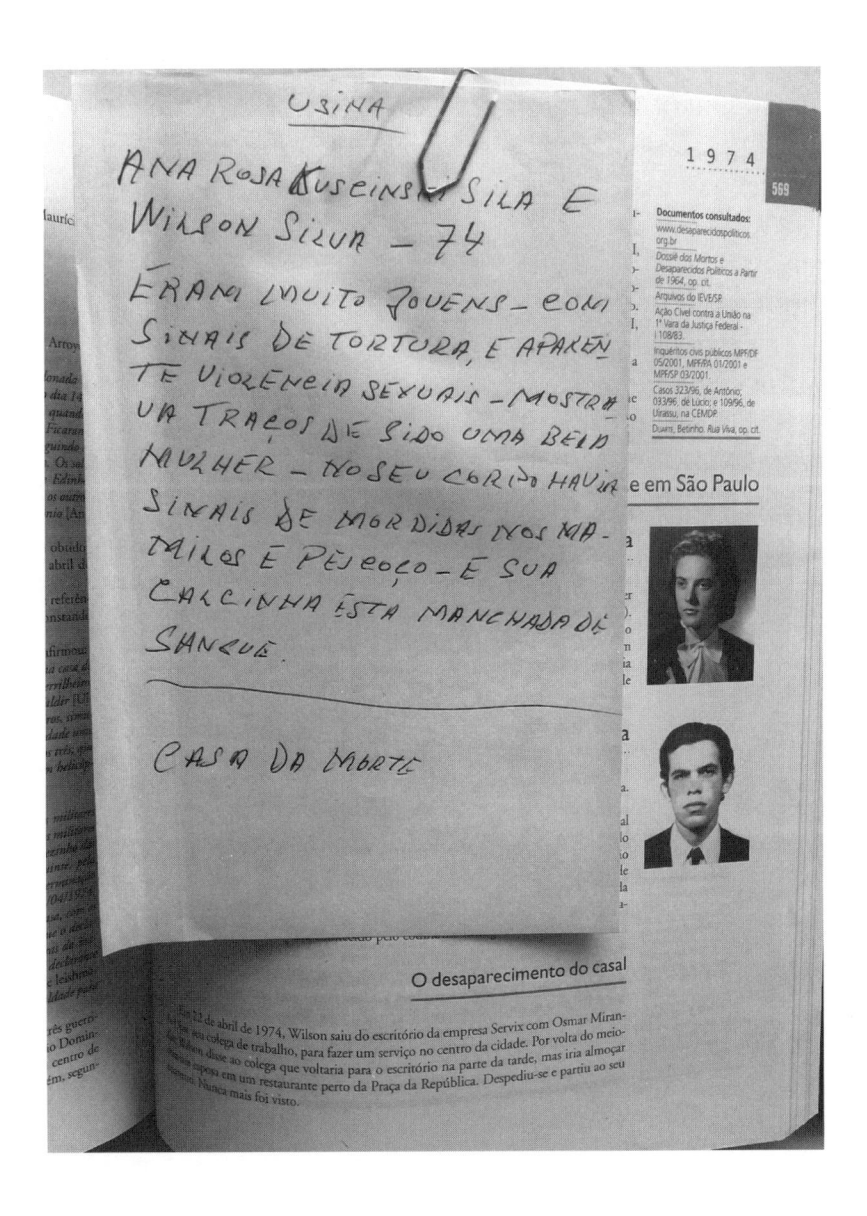

USINA

ANA ROSA KUCINSKI SILVA E
WILSON SILVA – 74

ERAM MUITO JOVENS – COM
SINAIS DE TORTURA, E APAREN-
TE VIOLENCIA SEXUAIS – MOSTRA-
VA TRAÇOS DE SIDO UMA BELA
MULHER – NO SEU CORPO HAVIA
SINAIS DE MORDIDAS NOS MA-
MILOS E PESCOÇO – E SUA
CALCINHA ESTA MANCHADA DE
SANGUE.

CASA DA MORTE

Ana Rosa Kucinski nasceu em 12 de janeiro de 1942, em São Paulo (SP). Estudou na Universidade de São Paulo (USP), onde se bacharelou em Química e tornou-se professora do Instituto de Química. Em 1970 casou-se com o físico Wilson Silva, um militante da ALN. Obteve o doutorado em Filosofia em 1972, na mesma instituição.

Wilson Silva nasceu em 1942 em Taubaté e ingressou na política ainda estudante secundarista, na Escola Estadual Monteiro Lobato. Em 1961 deixou a cidade para estudar na capital. Formou-se em Física também na USP e especializou-se em processamento de dados. Trabalhava na empresa Servix, em São Paulo. Militou na organização de esquerda, Polop, entre 1967 e 1969, quando se ligou à ALN, atuando no setor operário, com o codinome de Rodrigues.

Em 22 de abril de 1974 deixou o escritório da Servix dizendo para um amigo que almoçaria com a esposa no Centro, num restaurante na Praça da República. Os dois nunca mais foram vistos.

Ficha feita pelo Claudio:

Ana Rosa Kucinski Silva e Wilson Silva – 74
Eram muito jovens – com sinais de tortura, e aparentes violências sexuais – mostrava traços de ter sido uma bela mulher – no seu corpo havia sinais de mordidas nos mamilos e pescoço – e sua calcinha está manchada de sangue.

Ronaldo Mouth Queiroz

1973

Ronaldo Mouth Queiroz - 73
Executores= Eu, Sgt Jair -
Tn. Paulo Jorge e
Fininho

Como foi= Não houve abordagem,
foi apontado - e nós
atiramos. Os tiros
foram no torax e
no rosto, calibre
usado 45 -
Local do evento - Ponto de ônibus
na Av. Rivadávia -
Veículo usado Veraneio C.14

Ele caiu com o 1º tiro. O 2º
tiro foi dado com ele já caído
Fininho colocou uma arma
na cintura dele.

Documentos consultados:
Casos 03/96 e 044/02, na CEMDP

[...] a versão oficial de morte em tiroteio. O [...] registra [...]
ocorreu às 8 horas em 6 de abril de 1973, mas a requisição do IML/SP registrou que o [...] às 7h45min, prazo impossível para se fazer o traslado do cadáver. O laudo ne- [...] descreveu duas lesões provocadas por arma de fogo: uma "[...] *na face anterior do* [...] *esquerdo*, seis centímetros abaixo, um centímetro para dentro do mamilo esquerdo; o [...] *transfixou*", a outra lesão ocorreu "[...] *no mento um centímetro abaixo da mucosa do* [...] *inferior* [...]", e o projétil "[...] *alojou-se na massa encefálica do hemisfério direita*".
Ofício do II Exército encaminhado ao diretor do DOPS/SP, em 26 de abril de 1973, [...] que Queiroz,
"[...] no dia 6 de abril de 1973, às 7h40, aproximadamente, foi localizado na esquina da Av. Angélica. Ao ser dada voz de prisão, o mesmo sacou de um revólver calibre 38,

Ronaldo Mouth Queiroz nasceu em 18 de dezembro de 1947, em São Paulo (SP). Militou na Ação Libertadora Nacional (ALN). Começou a trabalhar aos 13 anos, quando fiscalizava propagandas de rádio para uma empresa. Ao entrar no curso de geologia da Universidade de São Paulo (USP), foi dar aulas em um cursinho pré-vestibular e logo depois passou a trabalhar na USP.

Dotado de extremo senso de humor, criou um jornalzinho sob o pseudônimo de Mc Coes, e publicava charges de conotação política. Foi presidente do Diretório Central dos Estudantes (DCE) da USP dos anos de 1970 a 1971. Ligado à ALN desde 1969, fez vários comícios-relâmpagos em praça pública contra a ditadura. Foi quando soube que estava sendo perseguido e entrou para a clandestinidade. Adotou o codinome "Papa".

Ronaldo era conhecido também como "Queiroz" e sob esse codinome foi fuzilado no dia 6 de abril de 1973, na Avenida Angélica, em São Paulo, por agentes do DOI-CODI/SP, que nem sequer chegaram a lhe dar voz de prisão, baleando-o a queima-roupa, assim que o reconheceram. A versão oficial, publicada no dia seguinte, no Jornal do Brasil, foi a velha tese dos "autos de resistência", ou, no jargão policial, "troca de tiros" com a Polícia.

Como a máquina do estado funcionava toda integrada ao sistema repressivo, o laudo cadavérico emitido pelo IML/SP, em 11 de abril de 1973, corroborou com a versão de morte em tiroteio. O cadáver deu entrada no necrotério às 8h, mas a requisição do IML registrou que o óbito ocorreu à 1h45. A Polícia nunca explicou aos familiares o que ocorreu até o translado do cadáver.

Ficha feita pelo Claudio:

Ronaldo Mouth Queiroz – 73
Executores: *Eu, Sgt. Jair – Tn. Paulo Jorge e Fininho*
Como foi: *Não houve abordagem, foi apontado e nós atiramos – os tiros foram no tórax e no rosto, calibre usado – 45*
Local do evento: *Ponto de ônibus da Rua Joana Angélica.*
Veículo usado: *Veraneio C-14*
Ele caiu com o 1º tiro. O segundo foi dado com ele já caído. Fininho colocou uma arma na cintura dele.
Uma testemunha foi retirada do local por outra viatura que dava cobertura. Não sei informar se foi eliminada.
Lembro vagamente que era um indivíduo moreno claro, cabelos escuros, um pouco longo, aproximadamente, ou melhor, aparentando ter uns 25 a 30 anos.

Merival Araújo

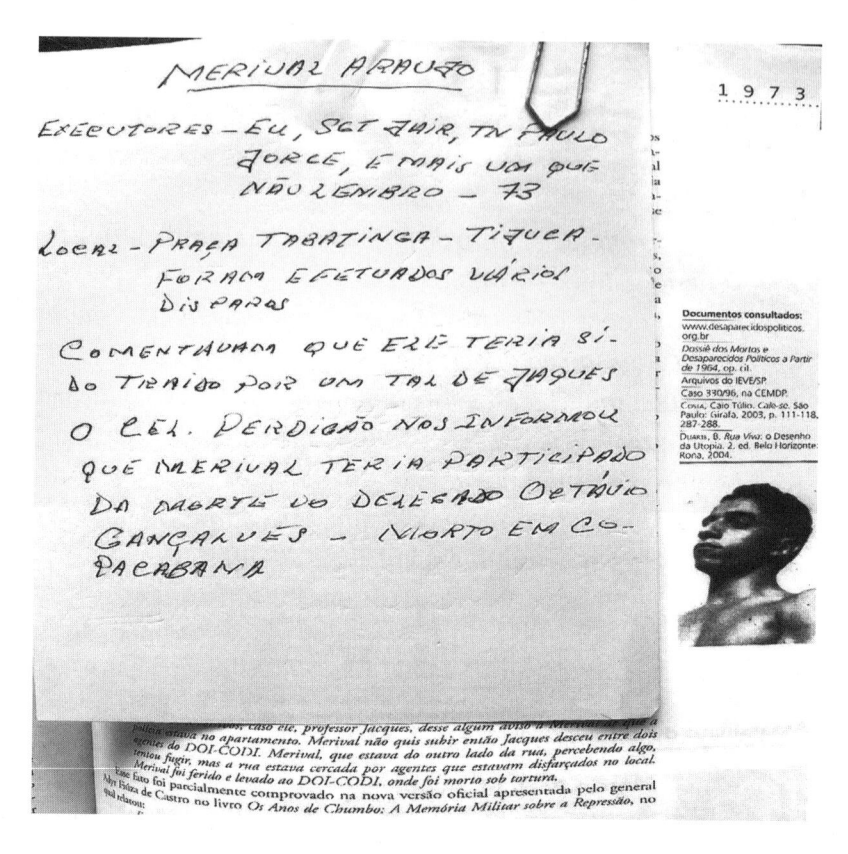

Merival Araújo nasceu em 14 de janeiro de 1949, em Alto Paraguai (MT). Foi morto em 14 de abril de 1973. Militante da Ação Libertadora Nacional (ALN). Era professor no Vale do Jequitinhonha (MG). Mudou-se para o Rio de Janeiro, onde continuou a dar aulas. Foi preso na Rua das Laranjeiras, no bairro de mesmo nome, em frente ao número 462, por agente do DOI-CODI/RJ e torturado até a morte.

O professor Francisco Jacques Moreira, seu colega no curso Miguel Couto Baense, prestou depoimento a Rubim Santos Leão de Aquino, em julho de 1973, após ser libertado, informando que: *após sua prisão (a de Francisco Jacques), no dia 5/4/73, os agentes do DOI-CODI levaram-no até o seu apartamento, onde acamparam aguardando possíveis contatos. Detiveram também sua mãe e (sua) irmã, que estavam chegando de Belo Horizonte. Neste ínterim, Merival telefonou para Jacques que, por imposição dos agentes do DOI-CODI ameaçaram matar a todos, dizendo, inclusive, que explodiriam o prédio e colocariam a culpa nos subversivos, caso ele, professor Jacques, desse algum aviso a Merival de que a Polícia estava no apartamento. Merival, que estava do outro lado da rua, percebendo algo, tentou fugir, mas a rua estava cercada por agentes, que estavam disfarçados no local. Merival foi ferido e levado para o DOI-CODI, onde foi morto sob tortura.* (Esta parte, porém, é contestada por Claudio Guerra).

Ficha feita pelo Claudio:

Merival Araújo– 1973
Executores: *Eu, Sgt Jair, Tn Paulo Jorge, e mais um que não me lembro*
Local: *Praça Tabatinga – Tijuca – foram efetuados vários disparos. Comentaram que ele teria sido traído por um tal de Jacques.*
O Cel. Perdigão nos informou que Merival teria participado da morte do Delegado Octávio Gonçalves – morto em Copacabana.

Emmanuel Bezerra dos Santos e Manoel Lisboa de Moura

1973

EMANOEL BEZERRA DOS SANTOS
E
MANOEL LISBOA DE MOURA

ATORES DA EK. EU, PJ, SGT JAIR E FININHO. - ANO 74 0073

LOCAL DO FATO — LARGO DO MOEMA
AV. IBIRAPUERA (SHIBATA)

FOI APONTADO PELO FININHO DOIS ELEMENTOS — SENDO UM DE COR PARDA APARENTANDO DE 25 A 30 ANOS, FRANZINO, O OUTRO MORENO CLARO, APARENTANDO TER A MESMA IDADE.

DEVERÍAMOS SER RÁPIDOS POIS ERAM GUERRILHEIROS TREINADOS

...editando o jornal *A Luta*, no qual denunciava os crimes da ditadura. Preso ...no Recife, na Praça Ian Fleming, foi levado ao DOI-CODI do IV Exército, ...durante dez dias, aproximadamente, até ser transferido para São Paulo.

Prisão e morte

Manoel Lisboa de Moura foi preso em 16 de agosto de 1973 por agentes do DOI-CODI do IV Exército, no Recife, conforme documento encontrado nos arquivos do DOPS/SP inti-

Emmanuel Bezerra dos Santos nasceu em 17 de junho de 1943, na Praia de Caiçara, Município de São Bento do Norte (RN). Filho de pescador, estudou na Escola Isolada São Bento do Norte, onde fez o curso primário. Esta escola hoje leva o seu nome. Em1961 mudou-se para Natal(RN), passando a residir na Casa do Estudante e a frequentar o Colégio Estadual do Atheneu Norte Riograndense. Quando cursava a terceira série do curso ginasial, Emmanuel, com outros colegas, fundou o jornal *O Realista*, voltado para a denúncia política das misérias da sociedade. Logo em seguida, já no período da ditadura, Emmanuel criou *O Jornal do Povo*, publicação libertária, com correspondentes em vários municípios do estado. No Atheneu, estudou até o primeiro ano clássico (atual ensino médio), em 1965, quando adoeceu e perdeu o ano letivo. Em 1966 Emmanuel passou a integrar o Partido Comunista Brasileiro (PCB), sendo um dos principais articuladores na luta interna do partido. Afastou-se em 1967, para incorporar-se ao Partido Comunista Revolucionário (PCR).

Recuperado dos problemas de saúde cursou o supletivo e prestou vestibular, ingressando na Faculdade de Sociologia na Fundação José Augusto, em 1967. Neste ano, foi eleito delegado ao XXIX Congresso da UNE, em São Paulo.

Também foi eleito presidente da Casa do Estudante, onde realizou uma administração marcada pelo dinamismo, ousadia e eficiência. A Casa do Estudante foi transformada em uma trincheira de luta do Movimento Estudantil (secundarista e universitário) de Natal. Em 1968, como diretor do DCE da Central dos Estudantes da UFRN, desempenhou função de liderança no meio universitário.

Com a Edição do AI-5, Emmanuel foi preso em 1968 e, condenado, cumpriu pena até 1969 em quartéis do Exército, do Distrito Policial e, finalmente, na Base Naval de Natal. Libertado, passou a viver na clandestinidade, como dirigente de seu partido, nos estados de Pernambuco e Alagoas. Nesse período esteve no Chile e na Argentina, tentando aglutinar forças entre os exilados brasileiros, para a luta. Além de militante, participou de movimentos artísticos desenvolvidos em Natal, e deixou poemas escritos ainda na adolescência.

Manoel Lisboa de Moura nasceu em Maceió (AL), em 21 de fevereiro de 1944, filho de Augusto de Moura Castro e Iracilda Lisboa de Moura. Morto em 4 de setembro de 1973. Militante do Partido Comunista Revolucionário (PCR).

Iniciou suas atividades políticas participando do movimento estudantil secundarista, no antigo Colégio Liceu Alagoano. Integrou a União Nacional dos Estudantes Secundários de Alagoas (UESA). Participou também do Movimento de Cultura Popular do Estado encenando peças teatrais nas praças. Manoel pertenceu à juventude Comunista de Alagoas e foi militante do Partido Comunista Brasileiro e do Partido Comunista do Brasil, antes de ingressar no PCR.

Na época do golpe de 1964 era estudante do primeiro ano de Medicina na Universidade Federal de Alagoas. Com a instauração da ditadura, sua casa foi invadida por agentes policiais armados, que queriam prendê-lo. Manoel conseguiu fugir para Recife (PE) e de lá para o Rio, onde passou um ano. Voltou em 1965 e se entregou às autoridades policiais, passando 45 dias preso, sob tortura. Foi libertado, mas continuou perseguido. Em 1966 após ser condenado, passou a viver na clandestinidade, editando o jornal *A Luta*, em que denunciava os crimes da ditadura. Preso pela segunda vez, no Recife, na Praça Ian Fleming, foi levado ao DOI-CODI do IV Exército, onde foi visto durante 10 dias, até ser transferido para São Paulo, onde foi torturado pelo delegado Fleury e pelo agente pernambucano Luiz Miranda.

Fotos do Instituto Médico Legal - SP mostram o corpo de Emmanuel com um corte no lábio inferior, certamente produzido pelas torturas, e que os legistas Harry Shibata e Armando Canger Rodrigues afirmaram ser consequência de um tiro.

Os dois militantes foram enterrados como indigentes no Cemitério de Campo Grande, em São Paulo. As requisições de necropsia feitas pelo DOPS/SP têm o "T" de *"terrorista"*, em vermelho, marca utilizada pelos órgãos de segurança de São Paulo para identificar os dissidentes políticos assassinados.

Ficha feita pelo Claudio:

> *Emmanuel Bezerra dos Santos e Manoel Lisboa de Moura*
> Autores da Ex.: *Eu, PJ, Sgt Jair e Fininho – Ano de 74 ou 73*
> Local do Fato: *Largo do Moema – Av. Ibirapuera (Shibata)*
> *Foi (Sic) apontado pelo Fininho dois elementos – sendo um de cor parda aparentando de 25 a 30 anos, franzino, o outro moreno claro, aparentando ter a mesma idade. Deveríamos ser rápidos, pois eram guerrilheiros treinados.*

João Batista Rita

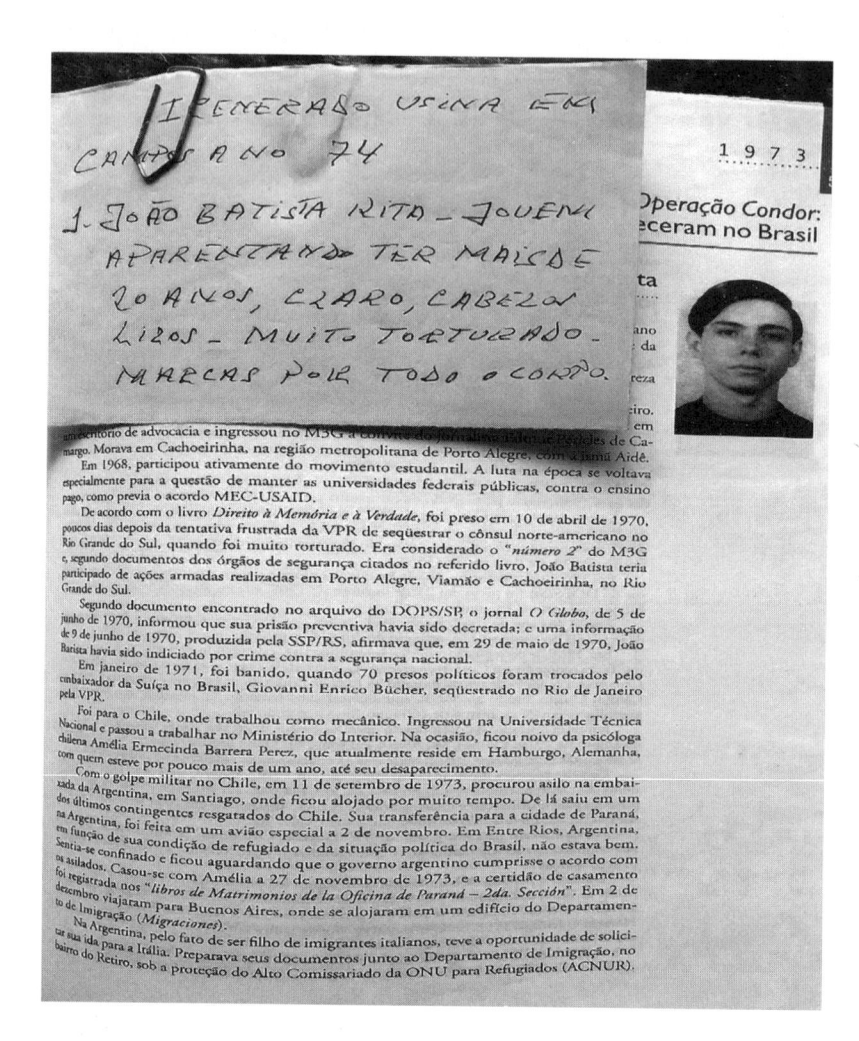

> IRENERADO USINA EM
> CAMPOS ANO 74
>
> 1. JOÃO BATISTA RITA — JOVEM APARENTANDO TER MAIS DE 20 ANOS, CLARO, CABELOS LISOS — MUITO TORTURADO — MARCAS POR TODO O CORPO.

1973

Operação Condor:
eceram no Brasil

escritório de advocacia e ingressou no M3G a convite do jornalista Ildeu Reides de Camargo. Morava em Cachoeirinha, na região metropolitana de Porto Alegre, com a irmã Aidê.

Em 1968, participou ativamente do movimento estudantil. A luta na época se voltava especialmente para a questão de manter as universidades federais públicas, contra o ensino pago, como previa o acordo MEC-USAID.

De acordo com o livro *Direito à Memória e à Verdade*, foi preso em 10 de abril de 1970, poucos dias depois da tentativa frustrada da VPR de seqüestrar o cônsul norte-americano no Rio Grande do Sul, quando foi muito torturado. Era considerado o "*número 2*" do M3G e, segundo documentos dos órgãos de segurança citados no referido livro, João Batista teria participado de ações armadas realizadas em Porto Alegre, Viamão e Cachoeirinha, no Rio Grande do Sul.

Segundo documento encontrado no arquivo do DOPS/SP, o jornal *O Globo*, de 5 de junho de 1970, informou que sua prisão preventiva havia sido decretada; e uma informação de 9 de junho de 1970, produzida pela SSP/RS, afirmava que, em 29 de maio de 1970, João Batista havia sido indiciado por crime contra a segurança nacional.

Em janeiro de 1971, foi banido, quando 70 presos políticos foram trocados pelo embaixador da Suíça no Brasil, Giovanni Enrico Bücher, seqüestrado no Rio de Janeiro pela VPR.

Foi para o Chile, onde trabalhou como mecânico. Ingressou na Universidade Técnica Nacional e passou a trabalhar no Ministério do Interior. Na ocasião, ficou noivo da psicóloga chilena Amélia Ermecinda Barrera Perez, que atualmente reside em Hamburgo, Alemanha, com quem esteve por pouco mais de um ano, até seu desaparecimento.

Com o golpe militar no Chile, em 11 de setembro de 1973, procurou asilo na embaixada da Argentina, em Santiago, onde ficou alojado por muito tempo. De lá saiu em um dos últimos contingentes resgatados do Chile. Sua transferência para a cidade de Paraná, na Argentina, foi feita em um avião especial a 2 de novembro. Em Entre Rios, Argentina, em função de sua condição de refugiado e da situação política do Brasil, não estava bem. Sentia-se confinado e ficou aguardando que o governo argentino cumprisse o acordo com os asilados. Casou-se com Amélia a 27 de novembro de 1973, e a certidão de casamento foi registrada nos "*libros de Matrimonios de la Oficina de Paraná — 2da. Sección*". Em 2 de dezembro viajaram para Buenos Aires, onde se alojaram em um edifício do Departamento de Imigração (*Migraciones*).

Na Argentina, pelo fato de ser filho de imigrantes italianos, teve a oportunidade de solicitar sua ida para a Itália. Preparava seus documentos junto ao Departamento de Imigração, no bairro Retiro, sob a proteção do Alto Comissariado da ONU para Refugiados (ACNUR).

João Batista Rita nasceu em 24 de junho de 1948, em Braço Grande do Norte (SC). Desapareceu no dia 5 de dezembro de

1973. Militante da Marx, Mao, Marighela e Guevara (M3G). Aos quatro meses a família mudou-se para Criciúma, onde estudou no Ginásio Madre Tereza Michel, até completar o curso ginasial.

Era calmo, magrelo, miúdo e bonito. Tinha raciocínio rápido e seu sonho era ser engenheiro. Mudou-se para Porto Alegre (RS) para estudar e trabalhar. Nesta época empregou-se em um escritório de Advocacia e ingressou no M3G, a convite do jornalista Edmur Péricles Camargo, foi morar em Cachoeirinha, na região metropolitana da capital gaúcha, com a irmã Aidê. Em 1968 participou ativamente do Movimento Estudantil, lutando pela manutenção das universidades federais, públicas. Contra o ensino pago, conforme previa o acordo MEC-USAID. Consta no livro *Direito à Memória e à Verdade*, que ele foi preso em 10 de abril de 1970, poucos dias depois da tentativa frustrada da VPR de sequestrar o cônsul norte-americano no Rio Grande do Sul. Considerado o número dois do M3G, e tendo participado, segundo anotações dos órgãos de segurança, em diversas ações armadas em Porto Alegre, Viamão e Cachoeirinha, foi muito torturado. Em uma dessas anotações, com data de 29 de maio de 1970, João Rita havia sido indiciado por crime contra a segurança nacional.

Em janeiro de 1971, quando houve a troca de 70 presos pelo embaixador suíço, Giovanni Enrico Bücher, sequestrado no Rio pela VPR, Rita foi incluído na lista. Com isto conseguiu ir para o Chile onde trabalhou como mecânico. Ingressou na Universidade Técnica Nacional e passou a trabalhar no Ministério do Interior. Na ocasião, ficou noivo da psicóloga chilena Amélida Ermecinda Barrera Perez, que hoje reside em Hamburgo, na Alemanha.

Eles chegaram a se casar (em 27 de novembro de 1973, conforme registro nos *libros de Matrimonios de La Oficina de Paraná – 2da. Sección*), e ficaram juntos por um ano, até o seu desaparecimento. Com o golpe civil-militar no Chile, em 11 de setembro de 1973, procurou asilo na embaixada da Argentina, em Santiago, onde ficou alojado por muito tempo. Conseguiu sair em um dos últimos contingentes resgatados do Chile. Sua transferência para a cidade de Paraná, na Argentina, e de lá transferiu-se para Entre Rio, onde se sentia confinado, devido à sua condição de refugiado político do Brasil. Ali ficou aguardando que o governo argentino cumprisse o acordo com os asilados.

Na Argentina, por ser filho de imigrantes italianos, teve oportunidade de solicitar sua ida para a Itália. Preparava a documentação, quando se encontrou com Joaquim Pires Cerveira, em 5 de dezembro de 1973. Os órgãos de repressão do Brasil, articulados com o capitão do Exército Diniz Reis, o sequestraram. Desde então, os dois desapareceram.

Ficha feita pelo Claudio:

Incinerado Usina em Campos – Ano – 74.
1 – João Batista Rita – Jovem aparentando ter mais de 20 anos, claro, cabelos lizos (sic) – muito torturado – marcas por todo o corpo.

Joaquim Pires Cerveira

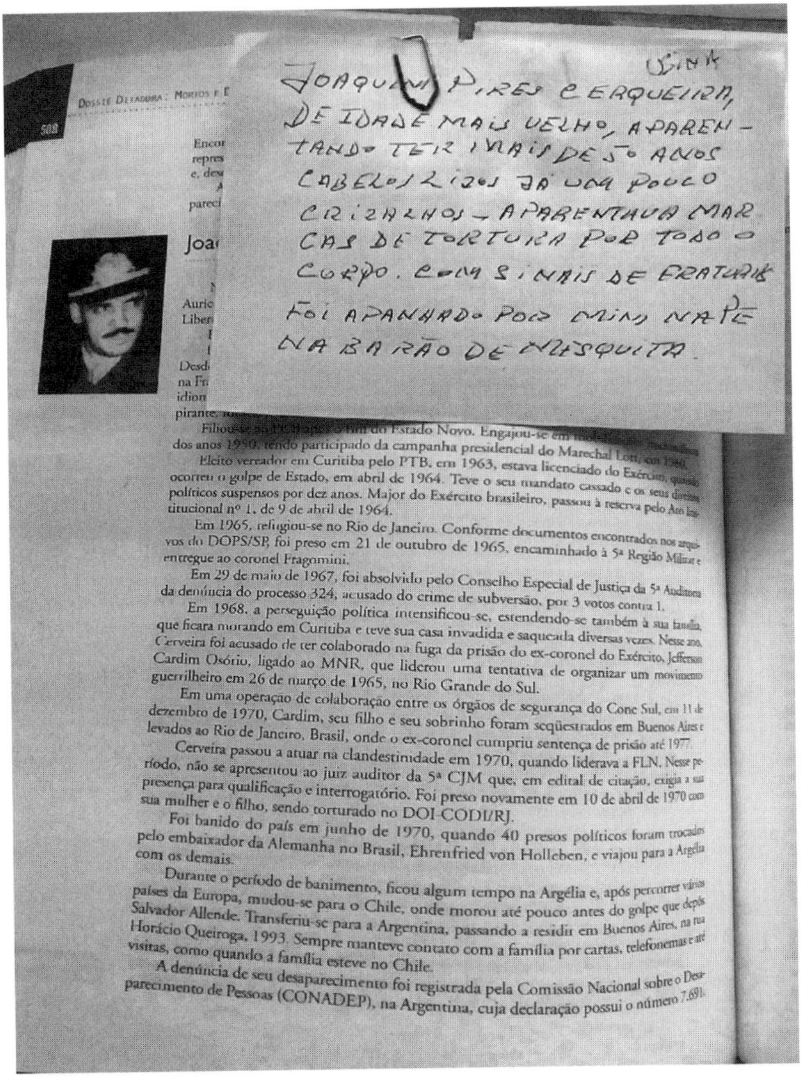

[Nota manuscrita:]

JOAQUIM PIRES CERQUEIRA, DE IDADE MAIS VELHO, APARENTANDO TER MAIS DE 50 ANOS, CABELOS LISOS JÁ UM POUCO GRIZALHOS — APARENTAVA MARCAS DE TORTURA POR TODO O CORPO, COM SINAIS DE FRATURAS. FOI APANHADO POR MIM NA PE NA BARÃO DE MESQUITA.

[Texto do livro:]

Filiou-se ao PTB logo após o fim do Estado Novo. Engajou-se em meados dos anos 1950, tendo participado da campanha presidencial do Marechal Lott, em 1960.

Eleito vereador em Curitiba pelo PTB, em 1963, estava licenciado do Exército, quando ocorreu o golpe de Estado, em abril de 1964. Teve o seu mandato cassado e os seus direitos políticos suspensos por dez anos. Major do Exército brasileiro, passou à reserva pelo Ato Institucional nº 1, de 9 de abril de 1964.

Em 1965, refugiou-se no Rio de Janeiro. Conforme documentos encontrados nos arquivos do DOPS/SP, foi preso em 21 de outubro de 1965, encaminhado à 5ª Região Militar e entregue ao coronel Fragomini.

Em 29 de maio de 1967, foi absolvido pelo Conselho Especial de Justiça da 5ª Auditoria da denúncia do processo 324, acusado do crime de subversão, por 3 votos contra 1.

Em 1968, a perseguição política intensificou-se, estendendo-se também à sua família, que ficara morando em Curitiba e teve sua casa invadida e saqueada diversas vezes. Nesse ano, Cerveira foi acusado de ter colaborado na fuga da prisão do ex-coronel do Exército, Jefferson Cardim Osório, ligado ao MNR, que liderou uma tentativa de organizar um movimento guerrilheiro em 26 de março de 1965, no Rio Grande do Sul.

Em uma operação de colaboração entre os órgãos de segurança do Cone Sul, em 11 de dezembro de 1970, Cardim, seu filho e seu sobrinho foram seqüestrados em Buenos Aires e levados ao Rio de Janeiro, Brasil, onde o ex-coronel cumpriu sentença de prisão até 1977.

Cerveira passou a atuar na clandestinidade em 1970, quando liderava a FLN. Nesse período, não se apresentou ao juiz auditor da 5ª CJM que, em edital de citação, exigia a sua presença para qualificação e interrogatório. Foi preso novamente em 10 de abril de 1970 com sua mulher e o filho, sendo torturado no DOI-CODI/RJ.

Foi banido do país em junho de 1970, quando 40 presos políticos foram trocados pelo embaixador da Alemanha no Brasil, Ehrenfried von Holleben, e viajou para a Argélia com os demais.

Durante o período de banimento, ficou algum tempo na Argélia e, após percorrer vários países da Europa, mudou-se para o Chile, onde morou até pouco antes do golpe que depôs Salvador Allende. Transferiu-se para a Argentina, passando a residir em Buenos Aires, na rua Horácio Queiroga, 1993. Sempre manteve contato com a família por cartas, telefonemas e até visitas, como quando a família esteve no Chile.

A denúncia de seu desaparecimento foi registrada pela Comissão Nacional sobre o Desaparecimento de Pessoas (CONADEP), na Argentina, cuja declaração possui o número 7.691.

Joaquim Pires Cerveira nasceu em 14 de dezembro de 1923, em Pelotas (RS). É desaparecido desde 5 de dezembro de 1973. Foi militante da Frente de Libertação Nacional (FNL). Era casado com Maria de Lourdes Cerveira, com quem teve três filhos. Seu pai e quatro irmãos pertenceram ao Exército. Cerveira desde criança gostava de matemática e nela se aprofundou a ponto de, em 1970, depois de banido do Brasil, apresentar uma tese sobre o tema, na França. Outra paixão foram as línguas estrangeiras: falava inglês, francês, alemão e japonês. Cursou a Escola Militar, de onde saiu como aspirante, para servir em São Luiz Gonzaga (RS).

No final do Estado Novo filiou-se ao PCB, engajando-se nas causas nacionalistas dos anos de 1950. Participou da campanha presidencial do Marechal Lott, em 1960. Em 1963 estava licenciado do Exército, no posto de major e concorreu ao cargo de vereador, pelo PTB. Foi nesta condição que viveu o golpe de 1964. Teve o seu mandato cassado e os seus direitos políticos suspensos por dez anos. Passou à reserva, com os seus direitos cassados por 10 anos, pelo Ato nº 1 de 9 de abril de 1964.

No ano seguinte refugiou-se no Rio de Janeiro. Conforme documentação do DOPS/SP, foi preso em 21 de outubro de 1965, encaminhado à 5ª Região Militar e entregue ao coronel Fragomini.

De acordo com depoimento de sua mulher, seis policiais argentinos e um brasileiro, descrito por Amélia, mulher de João Rita, invadiram a casa onde estavam acompanhados de um policial brasileiro. Pela descrição de Amélia, ele tinha uma cicatriz do lado esquerdo da testa, como a do delegado Sérgio Paranhos Fleury.

Em julho de 1975, o advogado Miguel Ridrizzani acusou, em uma petição judicial, o ex-ministro argentino José Lopes Rega de ser um dos principais chefes da organização Aliança Anticomunista Argentina, conhecida como "Triple A", e denunciou a relação formal existente entre a repressão política Argentina e a do Brasil, lembrando o sequestro e desaparecimento de Joaquim Pires Cerveira em Buenos Aires, de onde teria sido transferido para o território brasileiro (ver *Jornal da Tarde* e *Folha da Manhã*, de 15 de junho de 1975).

A morte de Cerveira e de mais 11 desaparecidos foi confirmada por um general entrevistado pelo jornalista da Folha de São Paulo, Antônio Henrique Lago, em matéria de 28 de janeiro de 1979. Hoje, sabe-se que o oficial era Adyr Fiúza de Castro, criador e primeiro chefe do CIE, chefe do DOI-CODI do I Exército, comandante da PM/RJ e, depois, da IV Região Militar.

Os nomes de Joaquim Pires Cerveira e João Batista Rita constam da lista de desaparecidos políticos do anexo I da Lei 9.140/95.

Ficha feita pelo Claudio:

> *Usina – Joaquim Pires Cerqueira (ele grafou errado o nome), de idade mais velho (sic), aparentando ter mais de 50 anos.*
> *Cabelos lizos (sic) já um pouco grisalhos – aparentava marcas de tortura por todo o corpo. Com sinais de fraturas.*
> *Foi apanhado por mim na PE na Barão de Mesquita.*

Eduardo Collier Filho

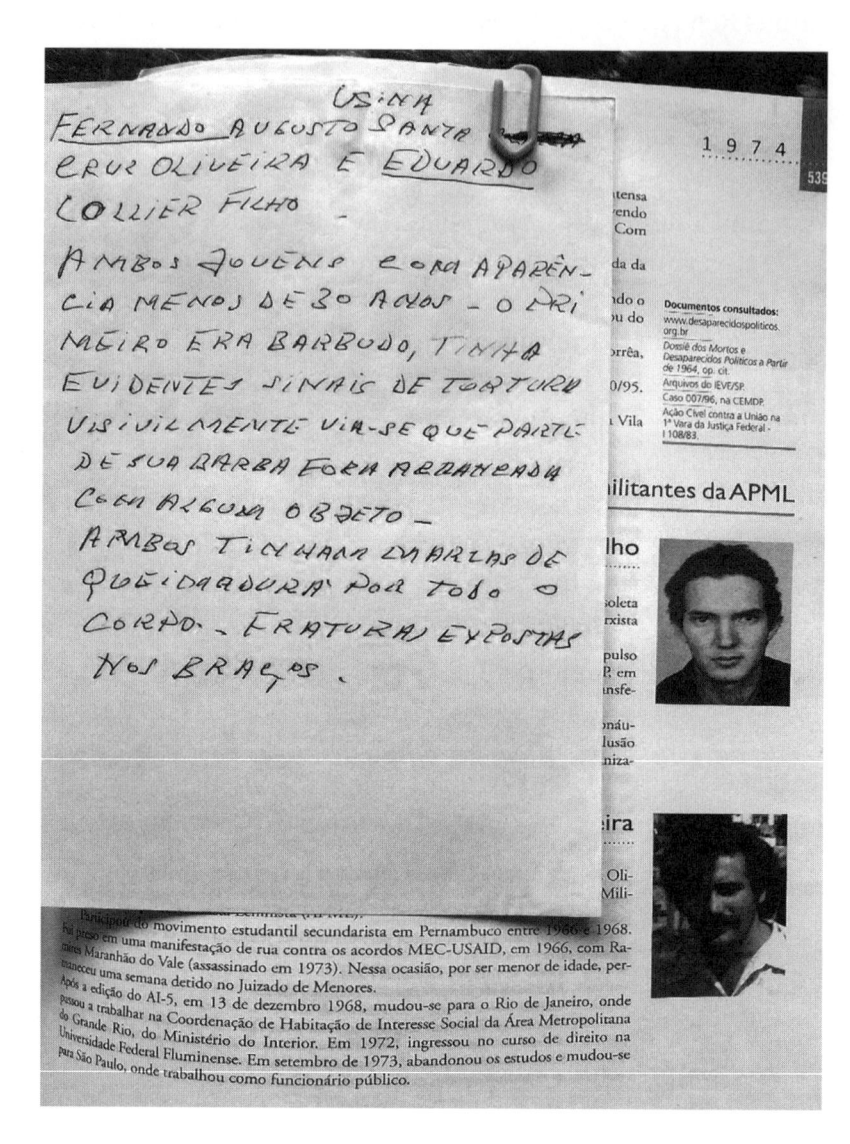

USINA
FERNANDO AUGUSTO SANTA CRUZ OLIVEIRA E EDUARDO COLLIER FILHO.

AMBOS JOVENS COM APARÊNCIA MENOS DE 30 ANOS - O PRIMEIRO ERA BARBUDO, TINHA EVIDENTES SINAIS DE TORTURA VISIVILMENTE VIA-SE QUE PARTE DE SUA BARBA FORA ARRANCADA COM ALGUM OBJETO -
AMBOS TINHAM MARCAS DE QUEIMADURA POR TODO O CORPO - FRATURAS EXPOSTAS NOS BRAÇOS.

1974

Documentos consultados:
www.desaparecidospoliticos.org.br
Dossiê dos Mortos e Desaparecidos Políticos a Partir de 1964, op. cit.
Arquivos do IEVE/SP.
Caso 007/96, na CEMDP.
Ação Cível contra a União na 1ª Vara da Justiça Federal - l 108/83.

participou do movimento estudantil secundarista em Pernambuco entre 1966 e 1968. Foi preso em uma manifestação de rua contra os acordos MEC-USAID, em 1966, com Ramires Maranhão do Vale (assassinado em 1973). Nessa ocasião, por ser menor de idade, permaneceu uma semana detido no Juizado de Menores.
Após a edição do AI-5, em 13 de dezembro 1968, mudou-se para o Rio de Janeiro, onde passou a trabalhar na Coordenação de Habitação de Interesse Social da Área Metropolitana do Grande Rio, do Ministério do Interior. Em 1972, ingressou no curso de direito na Universidade Federal Fluminense. Em setembro de 1973, abandonou os estudos e mudou-se para São Paulo, onde trabalhou como funcionário público.

Eduardo Collier Filho nasceu no dia 05/12/1948 na cidade de Recife(PE). Conviveu, desde a infância, com Fernando Augusto de Santa Cruz Oliveira, com o qual foi capturado e morto pela repressão no ano de 1974. A vida política de Eduardo iniciou-se com força durante os anos de graduação em Direito, pela Universidade Federal da Bahia. Em 1968, participou do 30º Congresso da UniãoNacional dos Estudantes (UNE) em Ibiúna(SP). Assim como os demais estudantes, foi preso durante o evento e, depois de ser transferido para a Salvador, foi um dos últimos a ser libertado.

Por conta de seu envolvimento político, respondeu a um inquérito que culminou na sua expulsão, em 1969, da Universidade Federal da Bahia por aplicação do Decreto-lei 477/1969. Em 1972 foi julgado à revelia pela 1ª Auditoria da Aeronáutica da 2ª Região Militar de São Paulo, sob o argumento de que estaria filiado a uma organização clandestina, nos termos da Lei de Segurança Nacional.

Eduardo foi militante da Ação Popular (AP) e, a partir de 1972, assim como Fernando de Santa Cruz, alinhou-se à Ação Popular Marxista Leninista (APML), por não concordar com a incorporação da organização de origem ao Partido Comunista do Brasil (PCdoB). Desapareceu aos 26 anos, quando estava no Rio de Janeiro visitando familiares.

Sua mãe foi a requerente do processo de indenização, deferido pela Comissão Especial de Mortos e Desaparecidos Políticos (Processo081/96). Em sua homenagem, ruas situadas nas cidades de São Paulo, Rio de Janeiro e Recife receberam o seu nome, que também intitula a Comissão da Memória e Verdade da Faculdade de Direito da Universidade Federal da Bahia.

Eduardo desapareceu na cidade do Rio de Janeiro, no dia 23 de fevereiro, durante o carnaval de 1974, data em que tinha um encontro marcado com o colega Fernando Augusto de Santa Cruz Oliveira na rua Prado Júnior, Bairro de Copacabana. Quando deixou a casa do seu irmão, Fernando havia avisado sua família que, se não retornasse até às 18 horas, deveriam suspeitar de sua prisão.

Fernando tinha feito essa advertência aos familiares porque sabia da situação delicada de Eduardo, que estava sofrendo um processo na Justiça Militar. Como Fernando não retornou, após verificarem se ele havia sido detido, seus familiares foram até a residência de Eduardo a fim de obter notícias. Souberam, então, que elementos das forças de segurança haviam estado no apartamento e levado alguns livros, o que indicava que os dois militantes tinham sido capturados. Eduardo e Fernando foram presos em 23 de fevereiro de 1974, possivelmente por agentes do DOI-CODI, do I Exército, no Rio de Janeiro, e nunca mais foram vistos.

As famílias de Fernando e Eduardo apressaram-se em contatar diferentes organismos, nacionais e internacionais, e pessoas públicas que poderiam fornecer ou obter notícias sobre os dois. Informalmente, receberam uma informação da Cruz Vermelha Brasileira que afirmava que os dois estariam no DOI-CODI do II Exército, em São Paulo. A irmã de Fernando, Márcia Santa Cruz Freitas, a mãe e a irmã de Eduardo compareceram prontamente no quartel-general do II Exército. Na sede do II Exército receberam de um funcionário identificado como Marechal, a informação de que os dois militantes se encontravam nas dependências daquele órgão. As famílias deixaram, então, alguns pertences dos rapazes e foram instruídas a retornar no domingo, dia oficial de visita. Ao voltarem no domingo, novamente não puderam vê-los, sob a justificativa, dada pelo funcionário chamado Doutor Homero, de que tinha havido um equívoco e que os dois não estavam presos no DOI-CODI/SP.

No dia 18 de março, a mãe de Eduardo enviou uma carta endereçada ao advogado Augusto Sussekind de Moraes Rego relatando o ocorrido, e o advogado impetrou um pedido de *habeas corpus* na tentativa de localizar o militante e identificar os responsáveis pela sua prisão.

As famílias de Eduardo e Fernando continuaram um longo processo de busca. Primeiro do paradeiro dos dois militantes e, em seguida, das circunstâncias de morte e do destino de seus corpos. Enviaram cartas a diversas autoridades, políticos e instituições de defesa dos direitos humanos. Apresentaram denúncias à Comissão Interamericana de Direitos Humanos (CIDH) e à Anistia Internacional, levaram os casos ao Tribunal Bertrand Russel.

As denúncias pressionaram o então Ministro da Justiça, Armando Falcão, a dar uma resposta sobre a situação dos dois desaparecidos. Em pronunciamento oficial divulgado no dia 6 de fevereiro de 1975, o Ministro informou sobre Eduardo: "encontra-se foragido, existindo mandado de prisão contra ele, da 1ª Auditoria da 2ª CJM".

Em 28 de abril de 1975, reagindo às interpelações dirigidas ao governo brasileiro pela CIDH sobre o Caso n° 1844, a denúncia de desaparecimento de Eduardo e Fernando, o Ministro da Justiça, Armando Falcão, encaminhou ao Ministro das Relações Exteriores as seguintes informações com relação a Fernando: "É procurado pelos Órgãos de Segurança e se encontra na clandestinidade".

Sobre Eduardo, repetiu as informações do pronunciamento anterior. Já na década de 1990, o Relatório da Marinha enviado ao então Ministro da Justiça, Maurício Corrêa, em dezembro de 1993, afirmou que Eduardo "desapareceu quando visitava parentes na GB", em fevereiro de 1974, e que, na época, "respondia processo por atividades políticas na 2ª Auditoria Militar de São Paulo". Sobre Fernando, consta no mesmo Relatório da Marinha que foi preso no dia 23 de fevereiro de 1974 e é considerado desaparecido desde então. O reconhecimento oficial da prisão de Fernando é reforçado por um documento datado de 1978, originário do Ministério da Aeronáutica, que registra que Fernando foi preso no dia 22 de fevereiro de 1974, no Rio de Janeiro, o que contradiz as informações transmitidas oficialmente pelo Estado brasileiro.

Há pelo menos duas hipóteses para explicar as circunstâncias de desaparecimento de Fernando e Eduardo. A primeira diz respeito à possibilidade de terem sido levados do Rio de Janeiro, onde foram capturados, para o DOI-CODI/SP. Como relatado, os familiares chegaram a receber de um funcionário chamado Marechal a informação de que os militantes estavam presos naquele órgão. A suspeita é reforçada pela reação do mesmo funcionário que, ao tomar conhecimento dos nomes dos dois militantes procurados, acrescentou o sobrenome "Oliveira" ao nome de Fernando, sem que a família o tivesse mencionado.

Essa indicação do DOI-CODI/SP como possível órgão responsável pelo desaparecimento de Fernando e Eduardo levanta a possibilidade de os corpos dos dois militantes terem sido encaminhados para sepultamento como indigentes no Cemitério Dom Bosco, em Perus.

A segunda hipótese é a de Fernando e Eduardo terem sido encaminhados para a Casa da Morte, em Petrópolis, e seus corpos levados posteriormente para incineração em uma usina de açúcar. Esta hipótese é embasada, sobretudo, no depoimento prestado pelo ex-delegado do DOPS/ES, Claudio Guerra, que afirmou que os corpos dos dois militantes teriam sido incinerados na Usina Cambahyba, em Campos dos Goytacazes (RJ).

Em depoimento prestado à CNV, o agente chegou a reconhecer formalmente uma foto de Eduardo Collier e apontá-lo como uma das vítimas que teria transportado para a usina. Em depoimento à Comissão Estadual da Memória e Verdade Dom Helder Câmara (PE), o ex-delegado confirmou que teria recolhido os corpos de Eduardo e Fernando na Casa da Morte, em Petrópolis. O ex-sargento do Exército, Marival Chaves, também prestou depoimento à CNV e relatou que, no âmbito de uma operação comandada pelo CIE no Nordeste, alguns prisioneiros recolhidos na região nordestina foram enviados para a Casa da Morte, em Petrópolis, com o intuito premeditado de se desaparecer com os corpos. Segundo Marival, Fernando e Eduardo teriam sido vítimas desta operação, o que indica que eles podem ter sido levados ao DOI-CODI/RJ e, de lá, conduzidos para a Casa da Morte em Petrópolis.

Eduardo Collier Filho e Fernando de Santa Cruz Oliveira permanecem desaparecidos. O nome de Eduardo consta no anexo I da Lei 9.140/1995 como desaparecido político.

Ficha feita pelo Claudio:

Usina – Fernando Augusto Santa Cruz Oliveira e Eduardo Collier Filho –
Ambos jovens com aparência menos de 30 anos – o primeiro era barbudo, tinha evidentes sinais de tortura.
Visivelmente via-se que parte de sua barba fora arrancada com algum objeto –
Ambos tinham marcas de queimaduras por todo o corpo.
Fraturas expostas nos braços.

David Capistrano da Costa e José Roman

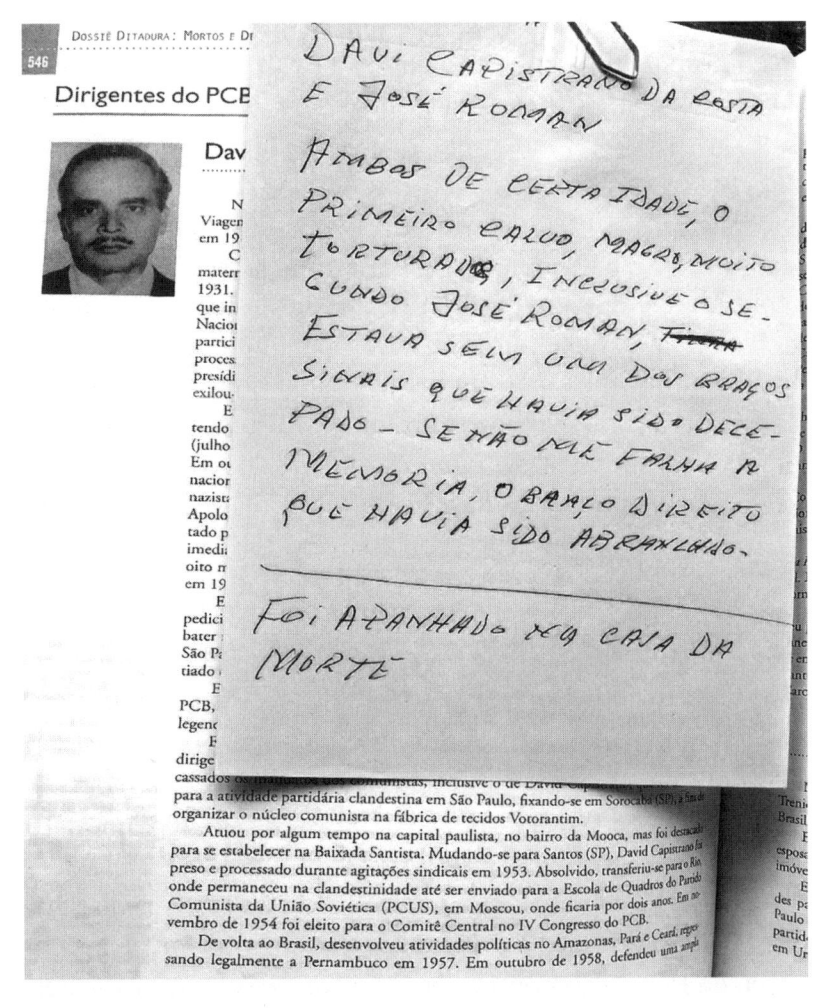

> DAVI CAPISTRANO DA COSTA
> E JOSÉ ROMAN
>
> AMBOS DE CERTA IDADE, O PRIMEIRO CALVO, MAGRO, MUITO TORTURADOS, INCLUSIVE O SEGUNDO JOSÉ ROMAN, ESTAVA SEM UM DOS BRAÇOS SINAIS QUE HAVIA SIDO DECEPADO - SE NÃO ME FALHA A MEMÓRIA, O BRAÇO DIREITO QUE HAVIA SIDO ARRANCADO.
>
> FOI APANHADO NA CASA DA MORTE

David Capistrano da Costa nasceu no Ceará, em 16/11/1913. Filho de pequenos proprietários rurais de uma família do povoado de Jacampari, distrito do município de Boa Viagem (CE). Ainda adolescente, aos 13 anos, mudou-se para o Rio de Janeiro, onde passou a morar com o irmão de sua mãe. Depois de exercer pequenos trabalhos no comércio, ingressou, em 1931, no Exército brasileiro. Por meio do tenente Ivan Ribeiro, chegou ao Partido Comunista do Brasil (PCB), ao qual permaneceria filiado até o fim de sua vida. Participou do levante comunista de 1935, liderado por Luís Carlos Prestes, e após a derrota do movimento foi preso e condenado a sete anos de cadeia. Antes de cumprir a totalidade de sua pena, David Capistrano fugiu do presídio da Ilha Grande e partiu rumo à Europa, onde participou das lutas republicanas na Guerra Civil Espanhola e da resistência francesa contra os nazistas, em 1938. Preso pelo Exército alemão, foi enviado ao campo de Gurs, na Alemanha, de onde saiu pesando apenas 35 quilos, em 1941. Depois de passar pelo Uruguai, regressou ao Brasil em 1944 com o objetivo de integrar a Força Expedicionária Brasileira (FEB). Entretanto, logo ao chegar, foi novamente preso, por sua militância comunista. Anistiado após o fim do Estado Novo (1937-1945), passou a integrar a direção nacional do PCB, em 1946. No ano seguinte foi eleito deputado estadual em Pernambuco.

Após a cassação do registro do PCB, em 1947, o mandato de David Capistrano foi impugnado e ele entrou na clandestinidade, atuando desta forma em diversos estados do país. Em 1953 foi enviado à União Soviética, ficando dois anos em curso de formação política, em Moscou. Ao retornar foi eleito para compor o Comitê Central do PCB, no IV Congresso do partido, em novembro de 1954.

A partir de 1957, David voltou a residir no estado de Pernambuco, onde ficou à frente do jornal *A Hora*. Dirigente destacado no Nordeste, reelegeu-se para o Comitê Central do partido no V Congresso, realizado em 1960.

Preso novamente em 1961, após mobilizações pela posse do vice-presidente João Goulart, foi enviado para o presídio da ilha de Fernando de Noronha. Uma vez em liberdade, articulou o apoio do PCB à candidatura vitoriosa de Miguel Arraes ao governo do estado de Pernambuco. Após o golpe militar de abril de 1964, teve seus direitos políticos cassados e passou à clandestinidade. Em 1972, viajou para a Tchecoslováquia como representante do PCB na revista *Problemas da Paz e do Socialismo*. Em 1974, alegando problemas de saúde, decidiu retornar ao Brasil, tendo desaparecido neste ano. David Capistrano foi casado com Maria Augusta de Oliveira, com quem teve três filhos: David Capistrano da Costa Filho, Maria Cristina Capistrano e Maria Carolina Capistrano.

Seu nome consta no anexo I da Lei n° 9.140/95, reconhecido como desaparecido político pela Comissão Especial sobre Mortos e Desaparecidos Políticos (CEMDP). Em sua homenagem, uma rua na cidade do Rio de Janeiro (RJ) recebeu seu nome. Em Recife (PE), há uma placa em sua homenagem no Monumento contra a Tortura.

Em 23 de julho de 2014, o ex-delegado de polícia Cláudio Guerra afirmou, em depoimento prestado à Comissão Nacional da Verdade, que David Capistrano teria passado pela "Casa da Morte de Petrópolis", e que ele próprio teria levado o corpo de David de Petrópolis para ser incinerado na usina Cambahyba, na região de Campos dos Goytacazes, no norte do Rio de Janeiro, com o intuito de dificultar a localização e identificação de seus restos mortais. A CNV verificou que Freddie Perdigão Pereira, em cuja equipe Cláudio Guerra trabalhava, prestava na época dos fatos, serviços para o DOI/CODI do II Exército.

Em resposta ao pedido de informação feito pela Comissão Nacional da Verdade, o Ministério da Defesa afirmou que, após uma exaustiva pesquisa feita em mais de 8 mil páginas de documentos, não foi possível identificar nenhuma informação relevante referente à localização e/ou elucidação das circunstâncias do desaparecimento de David Capistrano. Até a presente data David Capistrano da Costa permanece desaparecido.

Segundo as fontes disponíveis, David Capistrano teria desaparecido no trajeto entre Uruguaiana (RS) e São Paulo (SP), em março de 1974. As declarações de militares citadas afirmam que ele teria sido morto no centro clandestino que ficou conhecido como a "Casa da Morte", na cidade de Petrópolis (RJ).

José Roman nasceu em São Paulo (SP), em 01/10/1904, filho de espanhóis. Foi operário metalúrgico e participou ativamente desde a década de 1950 em lutas sindicais, juntamente com sua esposa Lídia Prata Vieira Roman, com quem teve dois filhos. Mudou-se para o Rio de Janeiro em 1952, quando começou a militar no Partido Comunista Brasileiro (PCB). Em 1966, retornou com a família para São Paulo. Manteve seu engajamento político, atuando como motorista nas atividades do partido até a data de seu desaparecimento. José Roman foi sequestrado por agentes do Estado brasileiro e desapareceu em 19 de março de 1974, aos 69 anos, juntamente com o também militante do PCB David Capistrano da Costa.

Sua missão era a de transportar David Capistrano da Costa, também militante do PCB, recém-chegado da Europa, de Uruguaiana (RS) com destino a São Paulo (SP). O último contato dos militantes com familiares foi feito em 19 de março, quando Lídia, esposa de Roman, recebeu um telegrama do marido, no qual ele relatava que a operação havia sido bem-sucedida e que ambos já se encontravam a caminho de São Paulo. Em 21 de março, entretanto, o filho de José Roman, Luís, atendeu a um telefonema informando que seu pai havia sido preso.

A família registrou queixa do desaparecimento e realizou pedidos de busca em diversos órgãos de segurança, mas não obteve nenhuma resposta significativa. As famílias de Roman e Capistrano entraram com pedido de habeas corpus em 23 de março de 1974, mas os órgãos de segurança negaram as prisões.

De acordo com informações do ex-agente do Destacamento de Operações de Informações – Centro de Operações de Defesa Interna de São Paulo (DOI-CODI/SP) Marival Chaves Dias do Canto, divulgadas pela revista *IstoÉ* em 24 de março de 2004, os militantes teriam sido presos por agentes do Centro de Informações do Exército (CIE) comandados pelo coronel José Brant Teixeira, conhecido como "Dr. César", e então teriam sido encaminhados para o DOI-CODI/SP. A informação foi reiterada pelo ex-agente em depoimento à Comissão Nacional da Verdade (CNV):

Os dois presos, ele [David Capistrano] e José Roman dormiram no DOI. E coincidentemente eu estava chegando para trabalhar lá às oito horas da manhã e vi dois presos entrando no porta-malas de uma Veraneio. E quem estava lá? Rubens Gomes Carneiro, o senhor José Brant Teixeira e mais o senhor cabo Félix Freire Dias. Então eram três pessoas do CIE. De repente, aparece para mim depois o David Capistrano e o José Roman como pessoas desaparecidas. Ora! Eles dormiram no DOI.

José Roman foi reconhecido como desaparecido político pelo Anexo I da Lei no 9140/1995.

Em de maio de 1974 familiares se encontraram com o general Golbery do Couto e Silva. Na reunião, intermediada pelo então Arcebispo de São Paulo Dom Paulo Evaristo Arns, o general se prontificou a solucionar o caso ainda naquele mês, mas nada aconteceu. Em janeiro de 1975, um relatório produzido por familiares de desaparecidos políticos foi encaminhado ao presidente Ernesto Geisel. Um mês depois, o então ministro da Justiça Armando Falcão fez circular nos jornais e televisão uma nota sobre o paradeiro dos desaparecidos, pela qual alegava que David Capistrano da Costa encontrava-se exilado na Tchecoslováquia. Na nota não havia informações sobre o paradeiro de José Roman.

Em 23 de julho de 2014, o ex-delegado do DOPS/ES Cláudio Guerra afirmou em depoimento prestado à Comissão Nacional da Verdade que o corpo de José Roman teria sido levado por ele da Casa da Morte em Petrópolis para ser incinerado na usina Cambahyba, na região de Campos dos Goytacazes, no norte do Rio de Janeiro, a fim de se impossibilitar a localização e a identificação de seus restos mortais.

A CNV verificou que Freddie Perdigão Pereira, em cuja equipe Cláudio Guerra trabalhava, prestava na época dos fatos serviços para o DOI/CODI do II Exército. O sequestro ocorreu no trajeto entre Uruguaiana (RS) e São Paulo (SP). José Roman teria sido executado na "Casa da Morte" de Petrópolis (RJ).

Ficha feita pelo Claudio:

> *Davi Capistrano da Costa e José Roman*
> *Ambos de certa idade, o primeiro calvo, magro, muito torturado.*
> *Inclusive o segundo, José Roman, estava sem um dos braços, sinais de que havia sido decepado – se não me falha a memória, o braço direito, que havia sido arrancado.*
> *Foi [sic] apanhado na Casa da Morte.*

Thomaz Antônio da Silva Meirelles Netto

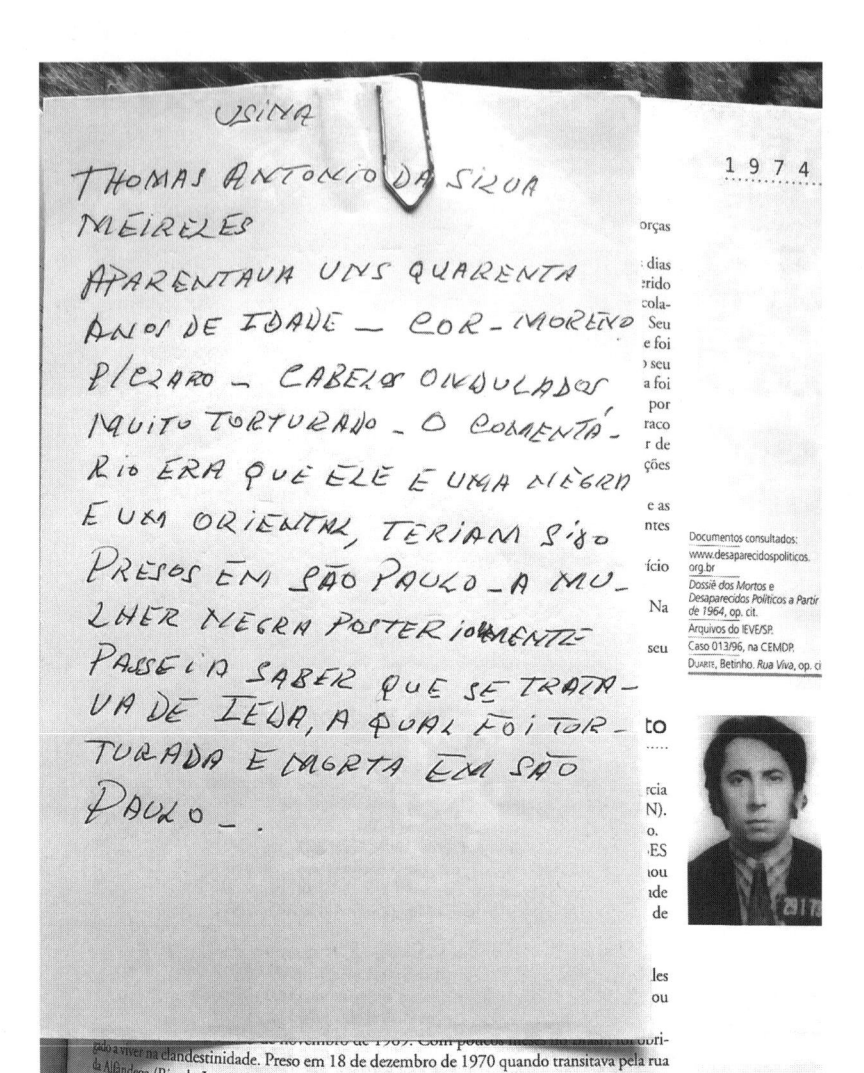

USINA

THOMAS ANTONIO DA SILVA MEIRELES
APARENTAVA UNS QUARENTA ANOS DE IDADE — COR-MORENO P/CLARO — CABELOS ONDULADOS MUITO TORTURADO — O COMENTÁRIO ERA QUE ELE E UMA NÈGRA E UM ORIENTAL, TERIAM SIDO PRESOS EM SÃO PAULO — A MULHER NEGRA POSTERIORMENTE PASSEI A SABER QUE SE TRATAVA DE IEDA, A QUAL FOI TORTURADA E MORTA EM SÃO PAULO —.

1974

Documentos consultados:
www.desaparecidospoliticos.org.br
Dossiê dos Mortos e Desaparecidos Políticos a Partir de 1964, op. cit.
Arquivos do IEVE/SP.
Caso 013/96, na CEMDP.
Duarte, Betinho. *Rua Viva*, op. ci

Thomaz Antônio da Silva Meirelles Netto nasceu em Parintins, em 01/07/1937, no Amazonas. Mudou-se para o Rio de Janeiro em 1958, onde iniciou sua militância política. Atuou na União Brasileira dos Estudantes Secundarista(UBES) e, posteriormente, na União Nacional dos Estudantes (UNE).

Em 1961, envolveu-se na campanha em defesa da legalidade constitucional, em favor da posse do vice-presidente João Goulart, diante da renúncia do presidente Jânio Quadros. Também participou de manifestações no campo político-cultural, por meio do Centro Popular de Cultura da UNE. Ingressou no Partido Comunista Brasileiro (PCB) e, posteriormente, na Ação Libertadora Nacional (ALN). Era jornalista e sociólogo e conhecido pelos codinomes "Luiz" e "Gilberto". Depois de obter bolsa de estudos na União Soviética, país com o qual o Brasil mantinha relações diplomáticas entre 1962 e 1969 cursou Filosofia na Universidade de Moscou Lomonosov. Em 13 de novembro de 1969, retornou ao Brasil. Poucos meses depois, passou a viver na clandestinidade. Foi preso no dia 18 de dezembro de 1970, na rua da Alfândega, no Rio de Janeiro, e levado para o Destacamento de Operações de Informações – Centro de Operações de Defesa Interna (DOI-CODI) do I Exército, onde foi interrogado e torturado.

Em 1972, a 2ª Auditoria da Aeronáutica da 1ª Circunscrição Judiciária Militar condenou-o a três anos e meio de reclusão. No Superior Tribunal Militar (STM) a pena foi reduzida para 1 ano de detenção. Em 17 de novembro de 1972, foi liberado pela 2ª Auditoria da Aeronáutica do presídio de Ilha Grande, no Rio de Janeiro, onde cumpriu pena por suas atividades na ALN e por ter estado na União Soviética.

Pouco tempo depois de solto, voltou a viver na clandestinidade. Foi preso aos 36 anos, no dia 7 de maio de 1974, no bairro do Leblon, no Rio de Janeiro, por agentes do DOI/CODI. Dessa data em diante nunca mais se soube dele. Depois de desaparecido, sofreu um julgamento à revelia pela 2ª Auditoria Militar de São Paulo, que o condenou a dois anos de prisão.

Thomaz Antônio foi casado com a jornalista Miriam Marreiro Meirelles, com quem teve dois filhos: Larissa, nascida em 1963, e Togo, em 1967. Thomaz Antônio da Silva Meirelles Netto é um dos desaparecidos listados no anexo I da Lei 9.140/95, sendo reconhecido pelo Estado brasileiro como um desaparecido político.

Em 23 de julho de 2014, a Comissão Nacional da Verdade realizou audiência pública em Brasília (DF) para ouvir as declarações de Cláudio Antônio Guerra, ex-delegado do DOPS/ES. A Comissão já colhera anteriormente outros dois depoimentos de Cláudio Guerra, mas fez uma terceira oitiva com foco nos casos de desaparecidos políticos que o ex-delegado alegou publicamente ter levado, depois de mortos, para incineração em usina de açúcar em Campos dos Goytacazes (RJ), a usina Cambahyba.

Perguntado sobre o caso de Thomaz Antônio da Silva Meirelles Netto, Guerra, apesar de admitir que pode ter conduzido o corpo de Thomaz à usina, não demonstrou convicção em seu reconhecimento facial por meio de fotografias apresentadas.

Ficha feita pelo Claudio

Thomaz Antonio da Silva Meirelles
Aparentava uns 40 anos de idade – cor moreno p/clara – cabelos ondulados
Muito torturado – o comentário era que ele e uma negra e uma oriental, teriam sido presos em São Paulo - A mulher negra posteriormente.
Passei a saber que se tratava de Ieda, a qual foi torturada e morta em São Paulo.

Espanei as dúvidas e prossegui, agora entrando firme nos assuntos mais pesados, que a conversa da véspera me credenciava a tocar. Ver que ele fez o trabalho que passei me deu também confiança. Claudio Guerra estava disposto a falar, sem rodeios.

Já com o gravador desligado, ao nos despedirmos, Claudio me aconselhou a "investigar" a existência de um prédio antigo, semelhante a um "castelinho", "atrás da Rua Taylor, no bairro da Lapa, no Rio. "Fica na divisa com o bairro de Santa Tereza", detalhou. Segundo ele, ali foram feitas as reuniões em que eram distribuídas as "missões" e feitos os balanços dos trabalhos realizados.

Os integrantes da "Irmandade" costumavam usar um gramado nos fundos da edificação, para churrascos de confraternização e para as reuniões já mencionadas. "Você logo vai identificar, é um casarão de esquina, bem diferente".

Voltei ao Rio com a certeza de que iria, sim, ver se o tal "castelinho" ainda existia. Subi pela rua Rodrigo Silva, paralela à Rua Taylor. Achei o acesso mais fácil. Pelo caminho encontrei um senhor. Perguntei se era morador antigo e pedi referência do tal "castelinho". Ele me pareceu ressabiado, foi econômico nos comentários e só se permitiu dizer que na época em que "aconteciam aquelas histórias, costumávamos ver bastante movimento de motos e carros lá, mas nunca me interessei em saber que reuniões eram aquelas". E completou. "Você sabe, era uma época difícil. Quanto menos se soubesse, melhor". Desculpou-se de não poder ajudar mais, e saiu mais apressado do que parecia, antes de ser abordado.

Assim que subi e virei para a esquerda, fui dar numa espécie de largo, onde esta construção, de fato, se sobressaía.

Mas não foram as características do prédio o que mais me chamou a atenção. Confesso que senti um certo tremor nas pernas, ao ver tremular no alto da torre principal, uma bandeira com o símbolo da "Escuderia Le Cocq"[3].

Respirei. Olhei ao redor e tirei os óculos de sol para ver melhor. Quem sabe não seria efeito do dia abafado, de alto verão? Não. Lá estava a flâmula, a desafiar a minha imaginação, a trazer o passado com todo o seu assombro. Retirei da bolsa o celular. Olhei ao redor. Ninguém. Apenas um calango atravessou os paralelepípedos rápido, na ponta das patas, como banhista que sai da praia sem chinelos. As pedras escaldantes o fizeram sumir numa moita de capim colonião que margeava a rua.

Observei que havia uma placa encimando o portão. Constatei que ali morou o magistrado Hermenegildo de Barros (1866 — 1955), ex-presidente do Supremo Tribunal Federal. Ele dá nome à rua. Provavelmente foi ali que faleceu, pois a data contida na placa coincide com o ano de

---

[3] Em 1965, um ano após o golpe militar, refletindo a política repressora que viria se impor no período posterior, um grupo de policiais cariocas decide vingar a sangue a frio a morte de um investigador, Milton Le Cocq. O alvo foi Cara de Cavalo, tido como bandido pela polícia, morador da Favela do Esqueleto, onde hoje se encontra a Universidade Estadual do Rio de Janeiro, no bairro do Maracanã, zona norte do Rio de Janeiro. Cara de Carvalho foi morto com cem tiros e seu corpo foi encontrado coberto em um cartaz com a figura de uma caveira.O símbolo se tornou o emblema da organização, onde além do nome pode-se verificar as iniciais E e M, referentes ao que tudo indica, ao próprio termo Esquadrão da Morte. Durante os anos que se seguiram, em plena vigência do terror da ditadura, a organização ganhou apoio do Estado, sendo integrada à própria Secretaria de Segurança do Estado do Rio de Janeiro. Os policiais que atuavam dentro da Secuderie eram escolhidos pelo próprio Secretário de Segurança, na época Luis França. O objetivo era claro e definido, e estava de acordo com a brutal repressão da época: "limpar a cidade". O grupo de "escolhidos", também conhecidos como "Doze Homens de Ouro", era formado pelos elementos mais violentos e assassinos dentro da corporação. Durante a década de 1970 o grupo atuou de maneira extremamente violenta e brutal dentro das comunidades cariocas, como uma verdadeira milícia fascista. <https://www.causaoperaria.org.br/o-esquadrao-da-morte-foi-integrado-a-ditadura-militar-agora-faz-parte-do-governo-bolsonaro>.

sua morte. Pensei na ironia que era a casa do responsável pela última instância de decisão legal, servir aos que agiam ao arrepio da Constituição, torturando e matando sem nenhum tipo de julgamento.

Ofegante, bati três fotografias da construção e guardei logo o aparelho, com medo de a qualquer momento alguém aparecer e ordenar que eu as apagasse. Caminhei tentando aparentar calma, já com a intenção de descer. Cruzei com uma senhora que vinha subindo e parou vencida pelo calor e o cansaço. Quis saber dela se havia alguém morando ali.

— Não. Acho que não. Parece que está à venda. Você está procurando imóvel por aqui?

— Não. Na verdade, vim ver a pedido da minha empresa, que pensava em alugar algum espaço por aqui. Sabe de quem é? Está vazio há muito tempo?

— Não vejo ninguém aí há muito tempo. E olha que sou nascida e criada nesta rua. Eu me casei e continuei morando na mesma casa. Moro aqui há muito mais de 60 anos. A vida toda, disse, sem vontade de fazer conta exata.

— A senhora então se lembra das reuniões e das festas que eles davam no casarão, naquela época difícil, nos anos 70?... Ela empalideceu. Percebeu que eu não estava querendo alugar coisa alguma. No máximo, a sua cumplicidade. Baixando o tom de voz, confidenciou. "Via movimento, sim. Vinham só homens, muitos carros, às vezes policiais, e chegamos a ouvir alguns gritos de madrugada, como se alguém estivesse apanhando. Eu soube que numa dessas noites jogaram um corpo de um rapaz jovem, de lá. Nunca procurei saber. Não era da minha conta".

— A senhora tinha medo?

— Vou para casa. Vou dar comida ao meu cachorro.

Eu também já não estava confortável sob aquele sol a pino, naquele lugar estranhamente silencioso. Tratei de descer. Não sem antes olhar para trás, para aquela estranha bandeira, símbolo do terror, deslocada no tempo. E ninguém parecia se importar com ela.

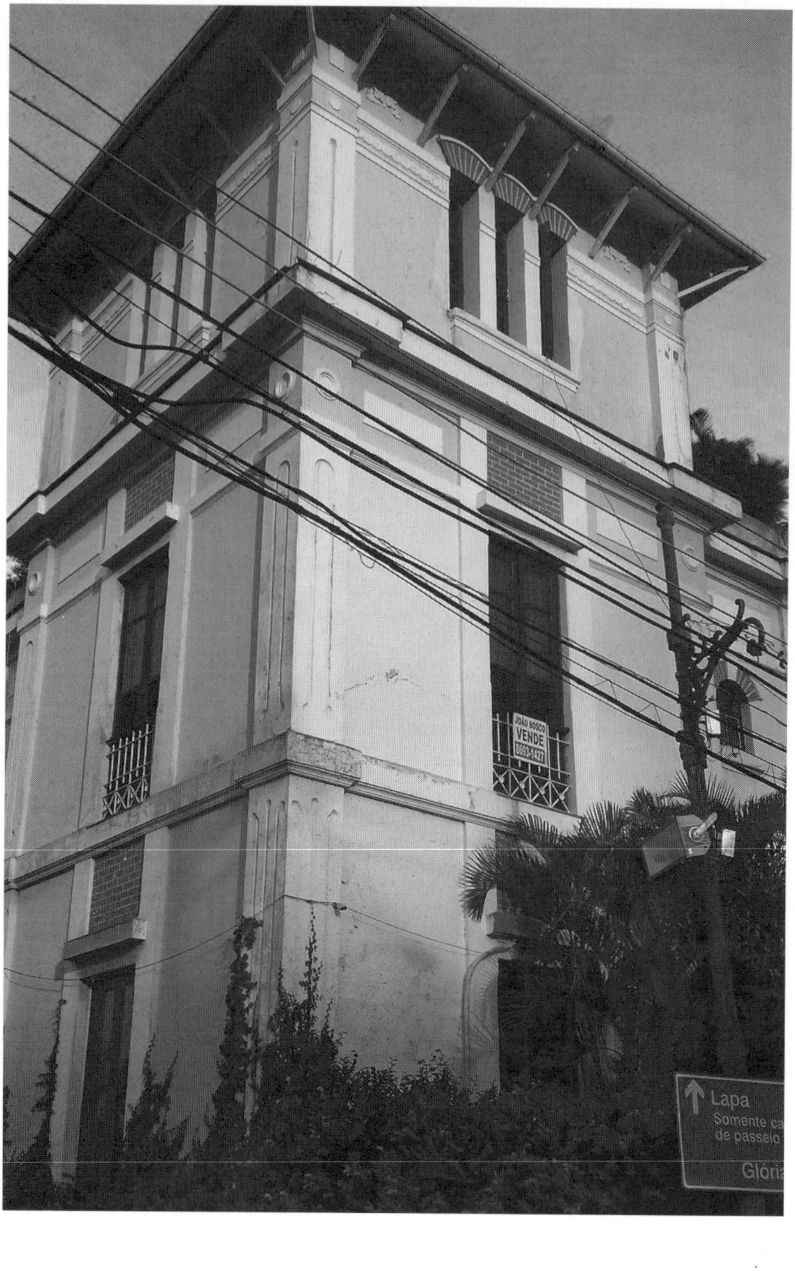
JOÃO BOSCO
VENDE
Lapa
Somente
de passeio
Glória

RUA HERMENEGILDO DE BARROS, 158
AQUI RESIDIU O MAGISTRADO BRASILEIRO HERMENEGILDO DE BARROS QUE VIVEU DE 1878 A 1955.

Só conseguir saber que o tal "castelinho" estava vazio e, à venda. Os trabalhos da Comissão da Verdade do Rio caminhavam para o final e era preciso correr com os casos e relatórios que estavam a meu encargo. Só no final do ano saberíamos que haveria uma prorrogação dos trabalhos, por mais oito meses. Até ali a perspectiva era a de apressar o passo. Não havia como parar tudo para investir em uma investigação que fugia às minhas responsabilidades: os desaparecidos políticos, algumas oitivas e trabalhar para a elucidação do caso da explosão da bomba na OAB. Foi o que fiz. A isto me dediquei.

Primeira conversa com Claudio Guerra
Vitória, ES, 25 de fevereiro de 2014

— *Como você entrou nesse negócio? Você estava nisso desde o golpe?*

— Quem idealizou o golpe foi o Golbery, (general Golbery do Couto e Silva) financiado pelos empresários e pela CIA, através do programa "Aliança Para o progresso". Ele era maçom. Muito disso era feito pela irmandade. O que eu sei é que ela funcionava só com os militares.

— *O que é a irmandade?*

— Vou falar do que eu sei por experiência de ter vivido. Se você pegar a história do mundo você vai ver que a maçonaria veio desde o princípio do mundo. Como que eu conheci a irmandade? Quando foi criada a escuderia Le Cocq, alguns delegados eram maçons. E todo membro que entrava para a escuderia, de lá ia para a maçonaria. (O Le Cocq nasceu no Rio de Janeiro, na década de 1960, em homenagem a Milton Le Cocq, detetive de polícia assassinado pelo criminoso Manoel Moreira, o *Cara de Cavalo*. O grupo também teve ramificações em São Paulo e Vitória.)

— *Era uma espécie de prêmio?*

— Era um prêmio. Todos queriam ser maçons. A escuderia dava status e até um meio de ganhar contatos e de ser ajudado financeiramente. Vou dar um exemplo. Houve um médico que entrou na maçonaria e se destacou, foi ser político. Um belo dia ele resolveu sair e ficou a zero.

— *Como surgiu a escuderia?*

— Quando morreu o Le Cocq, um policial do Rio, fundaram a escuderia Le Cocq com o sentido de homenageá-lo e matar bandido (é uma organização extraoficial criada por policiais no Rio de Janeiro em 1965 e que atuou principalmente nas décadas de 1960, 1970 e 1980, matando criminosos e oponentes da ditadura. Essa organização chegou a ser considerada um Esquadrão da morte). O slogan era "bandido bom é bandido morto" (bandido comum). Em seguida, a irmandade começou a pegar as pessoas de destaque lá dentro, delegados... e carrear para a maçonaria.

— *Mas por que para a irmandade, e não para a maçonaria direto?*

— Porque tinha que ter a cobertura. Você sendo civil, como é que iria pertencer à irmandade, que era militar? A irmandade foi feita lá no Império. É como a maçonaria, que surgiu com a pecha de fazer caridade e não é nada disso. Quem ia para a irmandade, era sondado para qualquer coisa.[4]

---

[4] A Irmandade da Santa Cruz dos Militares (ISCM) foi fundada em 1623, no Rio de Janeiro, com o nome Vera Cruz, pelo Governador Martim de Sá. É uma associação civil e religiosa católica, formada por Oficiais da ativa, reserva da 1ª Classe e reformados, pertencentes ao Exército Brasileiro. A ISCM realiza atividades religiosas, beneficentes e filantrópicas. Os objetivos da Irmandade consistem em prestar culto religioso à Cruz, símbolo da associação; estimular o aprofundamento da fé cristã; dar sepultura aos corpos dos seus irmãos e apoio às suas viúvas, aos seus viúvos e aos seus órfãos; oferecer serviços na área da assistência social. A filantropia é uma vocação da ISCM. Atualmente, mantém o Centro Social Marcílio Dias, no bairro da Penha, Rio de Janeiro. Neste local, promove oficinas de geração de renda para famílias em situação de vulnerabilidade e/ou risco social, bem como desenvolve uma série de atividades para idosos. <http://www.iscm.org.br>
Irmandade militar luta contra fantasmas do passado — Funcionários relatam assombrações no complexo da ordem brasileira que mais se aproxima dos templários europeus - Chico Otávio — 14/09/2013 — 06:00 / Atualizado em 14/09/2013 — 09:23. Nesta reportagem, o jornalista Chico Otávio faz revelações que corroboram

— *E qualquer coisa significava...*

— É como a máfia. Você faz um favor e depois vai pagar um preço muito mais alto.

— *Então ela podia dispor daquele sujeito... para matar, para qualquer coisa?*

— Vou dizer uma coisa. Quando eu fui aliciado, quer dizer, quando eu fui levado, foi para matar. A irmandade existia como um braço militar dentro da igreja para fazer boas ações, assistência a crianças órfãs, mas mudou a coisa.

— *De 1964, para cá, a irmandade mudou de destinação e filosofia. Passou a ser o quê?*

— Ela financiava tudo o que acontecia. Era a maneira de ficar por trás, coordenando tudo.

— *E de onde vinha esse dinheiro?*

— Vinha do empresariado, mas acho que da maçonaria também.

— *E você acredita que também tinha dedos dos EUA? CIA, partido Republicano, empresariado estadunidense?*

— Com certeza. Com certeza... Só para você ter uma ideia. Eu já fui muito errado. Tinha mulher aqui e ali. Todas elas foram para a Itália com tudo pago. Eles mandaram passagem, para a estada lá. Até essa minha atual foi. Ela mesma é uma situação que eu estou consertando. Um erro do passado. Nós convivemos quando ela era jovem. Hoje eu seria preso como pedófilo, porque ela tinha 14 anos quando começamos. Na época, com o poder na mão, eu fui ao juizado, assumi, e tal, e ela teve uma filha, que hoje está com trinta e

---

a fala de Cláudio Guerra. Com o fim dos trabalhos na repressão, os egressos do SNI foram incorporados aos seus quadros, pela irmandade, com o fim dos serviços da repressão. (Leia a íntegra, no link: <https://oglobo.globo.com/sociedade/historia/irmandade-militar-luta-contra-fantasmas-do-passado-9958313>).

poucos anos, eu tenho uma netinha linda... (Claudio solicita à esposa Célia, que busque nos seus guardados a medalha com a efígie de Benito Mussolini, fundador do Partido Nacional Fascista e um dos criadores do fascismo na Itália. O "mimo" lhe foi dado quando entrou para a irmandade.)[5]

— *Era um esquema parecido com a Oban Operação Bandeirantes, órgão de repressão da ditadura]?*

— O Banco Mercantil de São Paulo... O Banco Sudameris... que começou lá em Milão, todos participavam. Na época em que eu estava à disposição do SNI [Serviço Nacional de Informações], nos idos dos anos de 1970, tinha uma sauna que a gente frequentava em São

---

[5] – Mussolini – Figura emblemática da chamada extrema-direita, Mussolini conserva, junto com Hitler, um lugar de primeira linha entre as lideranças direitistas. Isto não se deve apenas ao papel destacado que desempenhou como parceiro do nazismo na política internacional dos anos 30 do século XX que desembocou na Segunda Guerra Mundial. [...] (v. Partido Político de Direita) Nascido em 29 de julho de 1883 na Romagna, região italiana conhecida pelas seculares lutas sociais e políticas, o futuro Duce teve sua formação perpassada desde cedo por um clima de inconformismo e revolta latente. [...] Em março de 1919, Mussolini funda em Milão o movimento fascista, que se torna partido em 1921. (v. Partido Nacional Fascista Italiano). Em 1922, acontece a Marcha sobre Roma e forma o novo governo italiano. [...] Derrotado na Segunda Guerra Munidal, Mussolini é deposto pelo Grande Conselho e preso em1943, mas é libertado pelos nazistas. Em 1945, Mussolini malogra em uma campanha para retomar o poder. Ele e alguns companheiros são aprisionados e posteriormente metralhados a 28 de abril de 1945. (v. Fascismo na Itália). ORGANIZADORES: TEIXEIRA DA SILVA Francisco Carlos; et al. MEDEIROS E. Sabrina; et al. VIANNA M. Alexander. Dicionário Crítico do Pensamento da Direita – Ideias, Instituições e Personagens. 1 ed. Rio de Janeiro, MAUAD editora ltda. Em co-edição com FAPERJ e apoio da UFRJ, 2000, p. 314 - Ver: Orwell George. Organização AUGUSTO Sérgio, O que é o fascismo? E outros ensaios1ª Ed. Rio de Janeiro, Companhia das Letras, 2017.

Paulo, que era de um mafioso. Não preciso dizer muito. Quem deu o primeiro dinheiro para a Oban foi o Gastão, do Banco Mercantil. E isto é oficial. Tem como comprovar. A minha conta, onde eu recebia o meu salário, era do Banco Mercantil de São Paulo.

— *Você tem os recibos?*

— Eu tenho. Tem um processo meu correndo aqui na Justiça do Espírito Santo, que tem um cheque meu, tem tudo isto aí. Em casa não. Isto é muito antigo, eu me mudei muito... Houve um mandado de busca e apreensão da Federal na minha casa, foi quando sumiu muita coisa..., mas o Gastão foi quem reuniu os empresários e fez a primeira doação para a Oban. O meu pagamento saía em meu nome, mas a Célia, minha atual mulher, fazia parte da conta comigo. Eu não podia receber com o meu nome. Recebia como Stanislau Meireles. Lá no Rio pouca gente me conhece com o meu nome. Lá muitos me chamam de Dr. Reinaldo. Eu não podia receber como Claudio Guerra porque eu tinha frequência como delegado no Espírito Santo e não podia receber no Rio como delegado.

— *Você nasceu onde?*

— Em Espera Feliz, Minas Gerais. Estudei lá, depois fui para o Colégio Nilopolitano, no Rio, e fiz Direito em Colatina (ES). Fui da turma de 1972 e era bom aluno. Agora estou estudando, fazendo pós-graduação em psicanálise.

— *Quando que você virou delegado? Fez o concurso?*

— Foi em 1971. Primeiro eu fui escrivão no Espírito Santo, em Vitória. E aí eu já estava no quinto ano de Direito e fui nomeado delegado distrital. Na época era cargo político, não era carreira.

— *Quem te indicou?*
— Na época era assim: indicado pelo secretário de segurança e o governador nomeava. Já era o regime militar.
— *E você foi indicado por quem?*
— Não lembro o nome. Eu passei no concurso como escrivão, e como escrivão eu fui mandado delegado distrital. Quando me formei em Direito eu fui delegado especializado. Foi quando foi criada a delegacia, porque o Dops estava muito manjado. Fizeram a experiência no Paraná e aqui. "Crime Contra a Organização Pública e a Economia Popular", mas na verdade era a delegacia política. Criaram e me colocaram como primeiro titular.
— *A essa altura você estava solteiro?*
— Nada, eu dos 20 anos para cá, era casado e pai. No interior você se casa cedo. Na época eu era oficial de Justiça. Eu fui pai com 22 anos. Tive um filho com a Rosalina, a Rosa, já falecida. Ela era escrivã em Minas. Aí eu passei num concurso aqui em Vitória. Fiquei casado com ela durante seis anos e nós tivemos três filhos. Daí eu vim para o Espírito Santo. Ela ficou lá em Minas e aí eu caí na gandaia. Ela, muito rígida, pediu o divórcio. Daí eu conheci uma moça, a Leda, tive uma filha com ela, a Maria Alice. Nesse período eu conheci a tia da Célia, de nome Rosa, também. Durante a nossa convivência, eu muito mulherengo, conheci a Célia, que começou a frequentar lá em casa, e ela engravidou. Em vez de confessar logo, eu levei ela (sic) para a casa de uma irmã que morava no Rio, e já é falecida. Eu ficava enrolando...

O pai dela era meu amigo. Eu o chamei e disse: 'Jair, a sua filha está comigo'. Eu assumi, separei da Rosa e fui ficar com a Célia. Quando nasceu a Patrícia, a Rosa me procurou. Ela disse que a criança já tinha nascido, e se eu quisesse voltar poderia. E nós voltamos. Olha a minha cara-de-pau. Eu vivia com ela e mantinha financeiramente a Célia.

— *E quanto tempo durou isso?*

— Até aconteceu um fato muito triste. Eu tinha viajado para o Rio para poder ouvir uma testemunha do caso Aracelli. Quando estou viajando — eu não gostava de dirigir —, a mulher com quem eu estava é que dirigia. O irmão dela estava preso por envolvimento com drogas, passou mal durante o dia e ela e a mãe foram lá socorrer. Quando foi à noite, o mesmo PM que foi avisá-las de que o irmão dela estava passando mal, voltou e chamou as duas novamente porque o irmão havia piorado. A mãe dela em vez de ir, mandou a Rosa e a outra irmã. No caminho elas foram brutalmente assassinadas com um monte de tiros.

— *Você foi acusado por esse crime, não foi?*

— Sim, mas eu não tive nada a ver. Foi um período muito difícil para mim. Elas estavam indo para o presídio e isto aconteceu num bairro da Grande Vitória.

— *E se não foi você, quem matou as duas?*

— Eu cheguei à conclusão que foi o tenente Odilon [Odilon de Freitas, ex-tenente do Exército]. Ele era um oficial do Exército que foi colocado para me ajudar e, a bem da verdade, o motivo não foi esclarecido. Era um cara que fazia bombas, era especialista. Por que que eu tive a certeza que foi ele? Era a época da abertura e o SNI estava fechando as portas. Eu era delegado do Dops em Vitória. O coronel Serrano, que era o chefe de Polícia — Valcir Serrano —, mandava as pessoas para trabalhar comigo. Como o Emanuel, por exemplo. Era o cara que foi colocado para trabalhar comigo no Dops.

— *Quando você diz que ele foi destacado para trabalhar com você, era para fazer o quê?*

— Ele era perito em explosivo, aqui ele montou algumas bombas. Uma foi aqui, em Vitória, foi nas lanchas da Conduza. Afundamos duas. Nós tínhamos o cuidado de explodir sem vítima. E, também, na visita não sei se foi na do Geisel ou do Figueiredo. Foi no Figueiredo, porque já se falava em abertura e foi uma espécie de recado para ele. Por conta disto nós explodimos o jornal *A Tribuna*. No dia seguinte era a visita do Figueiredo. Na mesma noite nós colocamos também uma na Câmara dos Vereadores, mas ela não explodiu. Estamos falando disso por causa do Odilon. O Odilon estava fazendo crime de mando e isto eu não tolerava.

— *Você me disse que a bomba da Tribuna foi colocada pelo tenente Odilon, correto?*

— Sim. O SNI tinha levantado que ele estava, na época, fazendo crime de mando. Pegando dinheiro para matar os outros. Por isto foi que nós tivemos discordâncias. Eu estava investigando o crime da Aracelli[6]. Ele foi morto pelos envolvidos no caso, os acusados. A Aracelli desapareceu, depois apareceu morta. A primeira acusação foi... Toda tarde os empresários que moravam perto iam se avistar com o capitão Araújo na chefia de polícia. Havia um foca que se chamava Encarnação, da *Gazeta* [jornal *A Gazeta*, de Vitória]. Ele vinha descendo e

---

[6] Araceli Cabrera Sánchez Crespo foi uma criança brasileira assassinada em 18 de maio de 1973 em Vitória (ES). Seu corpo foi encontrado somente 6 dias depois, desfigurado por ácido e com marcas de violência e abuso sexual. (Wikipédia) Ver: LOUZEIRO josé, Aracelli meu amor - romance reportagem, de 1976. O livro do escritor e jornalista, foi censurado durante a Ditadura Militar a pedido dos advogados dos acusados. Araceli Cabrera Crespo, símbolo do Dia Nacional de Combate ao Abuso e Exploração Sexual de Crianças e Adolescentes, tem o seu nome manchado de sangue há 45 anos pela impunidade no Brasil. Aos 8 anos de idade, em 18 de maio de 1973, a menina Aracelli foi estuprada e assassinada.

perguntou: que pessoal é este? O capitão brincou: é o pessoal envolvido no crime. No dia seguinte virou manchete.

— *E você estava investigando o crime?*

— No meu plantão chegou uma denúncia de que lá na serra tinha uma mulher maltratando uma criança, parecida com a Aracelli. Ela estaria seviciando a menina e preparando para entregar para terceiros. Eu convoquei uma equipe, mandei fazer corpo de delito, e constataram que a menina tinha sido violada com o dedo. E ela estava mesmo judiada. Eu ia provar que a mãe da Aracelli não era mãe dela coisa nenhuma. Eu ia provar que ela trazia as meninas para entregar para os empresários aqui. Mas qual foi a ordem do governo? Entregar toda a investigação e abafar o caso. Se procurar na Justiça da Serra vai estar lá. Eu mandei com recibo. Mas não teve condenação, não teve nada. Isto para não chegar aos poderosos que encomendavam as meninas...

— *Quer dizer que a morte da Aracelli tem a ver com uma rede de pedofilia?*

— Isso aqui em Vitória é uma coisa que as pessoas não têm noção. Tem de tudo. Teve uma época em que mataram uma colunista social. Eu estava fora daqui há um ano, mas o delegado insistiu para que eu ficasse à frente... Eu conheço o submundo. Cheguei aqui, de onde eu estava fora há um ano e perguntei para todos. Cheguei à conclusão que quem tinha feito [o crime] eram os policiais que trabalharam comigo. Eu estava na época em Juazeiro, na Bahia, de licença, na polícia, porque eu era líder da associação dos policiais. Quando eu vi que tinha policial que trabalhou comigo metido no troço, eu deixei o caso. O superintendente da PF começou a debater comigo pelo jornal. Nessa época eu ia desmanchar o sindicato do crime. Eles eram todos da escuderia Le Cocq...

— *A escuderia tinha caráter nacional?*
— Ela passou a ter. O eixo principal era Rio, São Paulo e Minas, mas tinha aqui também. Eles andaram espalhando que fui eu quem trouxe isto para cá, mas é mentira.
— *Você ia desmanchar o sindicato do crime que era todo composto pelo pessoal da escuderia?*
— Sim, mas tinha também policiais militares e gente tipo o José Sássio... Ele não era policial.
— *A escuderia achou então que você havia traído a causa?*
— Não foi só o pessoal da escuderia. A sociedade. Eu era tido como o xodó da sociedade local. A própria mulher do Michelin chegou ao salão de cabeleireiro e disse: "Claudinho nos traiu"... E eu prendi muito policial. O meu erro foi ter tirado a vida das pessoas obedecendo a ordens, achar que bandido tinha que morrer. Eu não tolerava crime de mando. Gente que pegava dinheiro para matar. Achava aquele troço... Na minha concepção errada, eu achava que para limpar a sociedade podia matar bandido, mas pegar dinheiro para matar bandido, ou quem quer que fosse, não podia. Era uma ótica louca, mas era a que eu tinha.

Eu fazia justiça com as próprias mãos, mas tinha alguma ética.

— *Vamos voltar para a irmandade...*
— A irmandade dos militares é uma coisa... Você veja: onde funcionava a sauna? Você vai ver que era um imóvel da Igreja... Onde era o restaurante [Angu do Gomes, onde a turma da repressão se reunia, no Centro do Rio de Janeiro]? Era num imóvel da Igreja. Tem que ter critério para investigar... É um risco muito grande que você vai correr. Os bancos, um é de Milão, o Sudameris...

— *No Rio, quem financiava?*

— Eu não sei. Aqui em Vitória era o deputado Camilo Cola [empresário, dono da empresa de transportes Itapemirim e ex-deputado federal pelo PMDB. Último mandato em 2014]. O Perdigão recebia direto dele. Eu fui várias vezes com ele e com o comandante Vieira, para pegar dinheiro. Teve até a sigla aqui, numa campanha: "Macaca" [reunia os candidatos Massa, Camilo e Camata]. O Perdigão veio para cá pelo SNI, nós intervimos na convenção. O resultado ia ser um, eu cheguei lá e mudou o resultado. A imprensa aqui não investigou. Por quê? Eu não entendo. Vocês querem que a gente fale a verdade... E ele vai vir de novo candidato. Ele está vivo aí, vai ser candidato a senador...

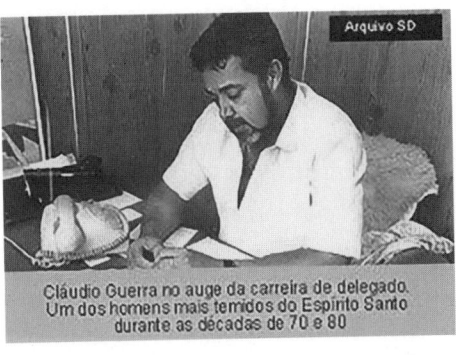

Cláudio Guerra no auge da carreira de delegado. Um dos homens mais temidos do Espírito Santo durante as décadas de 70 e 80.

— *No Rio, além da Igreja, da Ordem Terceira, quem mais financiava esse esquema?*

— Investigue todas as empresas de segurança. É tudo gente que saiu do SNI e montou empresa. O Perdigão mesmo tinha uma. Só que ele não aparece. Tinha na frente um general. Ele me chamava e dizia: "Claudinho, o que a gente fazia de graça para o SNI, agora nós vamos fazer ganhando dinheiro. Vem empresário do exterior, nós é que vamos fazer a segurança... A espionagem, nós vamos fazer e ganhando.

— *A Igreja arrecadava através da irmandade, do Angu do Gomes, que alugava o imóvel, e alugava também o prédio histórico do Centro para a Universidade Cândido Mendes... Era isso?*

— Sim, mas isto é até café pequeno. Eu vou ler para você. No início de 1975 começou a circular nas fileiras das Forças Armadas um panfleto que se intitulava "Novela da Traição". Dizia: "Os atos de traição desencadearam numa sequência cronológica constante, tendo como pano de fundo a tal abertura ou distensão". Esta é uma narrativa que eu peguei da época. "Tentando afastar as forças militares do combate à subversão e à corrupção, isto é, os comunistas e corruptos passaram a mandar de novo no país." Isto era o que era pregado para a gente. E aí eles perguntavam. "Onde estão os bravos revolucionários? Será que vão colaborar na escavação de suas próprias sepulturas? Será que está faltando coragem aos nossos civis e militares para dar um basta?" Esse documento rolou nas fileiras. "Quanto mais o tempo passar, mais difícil será reagir. É preciso mobilizar as forças revolucionárias para a reação que deve ser imediata..."

— *Lançavam sempre esses panfletos entre vocês?*

— E eu tinha outros. Um deles acusava o Golbery de ter planejado o desastre eleitoral de 1974. O Perdigão andou o país todo para mobilizar as fileiras contra o Golbery, que eles acusavam de tramar uma anistia, a formação de um partido trabalhista e a abertura de uma CPI contra os nossos bravos órgãos de segurança.

— *Mas você tem informações sobre o caso, ou isso é o que você acha que eles estavam tramando.*

— Isto foi pregado para a gente lá no hotel Glória [uma reunião de delegados e agentes de segurança, com empresários brasileiros e estadunidenses]. Era para justificar um trabalho que nós íamos fazer, que eram os atentados para jogar sobre a esquerda, para haver uma comoção no país e conseguir barrar a abertura. (*Claudio mostra os recortes que guardou do encontro*)

A TRIBUNA — Vitória, ES, quarta-feira, 26 de novembro de 1980

lência
o País

Texto e Fotos
de Pedro Maia

competência para tomar medidas de fiscalização da prevenção e repressão a todas formas de violência.

Sugeriu também a criminalização do porte de armas e do ato de servir bebidas alcoólicas ao menor ou pessoas já embriagadas. Ele foi a favor da criação de colônias agrícolas e defendeu a necessidade de uma fusão entre as polícias Civil e Militar. Para o juiz Mena Barreto o policial deveria ingressar como "ronda", usando farda e patrulhando quarteirões. Depois de conhecer sua área de serviço e ser conhecido pela comunidade local então seria guindado a outros postos como promoção até chegar ao grau máximo da carreira, ou seja, delegado de polícia, desde que se preparasse para tal função.

Mena Barreto falou também sobre o uso de drogas e afirmou ser decididamente contrário a liberação da maconha ou ao menos sua tolerância. Isso porque sabe tratar-se de um tóxico como qualquer outro e que seria conivente com o crime de envenenar pessoas se pensasse ao contrário.

POLICIA E JUSTIÇA

O juiz Paulo Gomes Alves, titular da 6ª Vara Criminal do Rio de Janeiro e secretário geral da Associação Internacional dos Magistrados, foi bastante aplaudido pelos congressistas quando afirmou que a Justiça deve prestigiar a instituição policial pois dela tem necessidade e não poderia funcionar sem a ação dos homens que coletam os dados a serem posteriormente as bases dos julgamentos na área judicial.

Porém Paulo Gomes Alves lembrou aos policiais que participavam do congresso sobre as necessidades de respeitar os direitos do cidadão fazendo alusão as muitas confissões extorquidas por meios violentos como o pau-de-arara, choques elétricos e outros. Afirmou o juiz que o acusado tem direito a ampla defesa o que muitas vezes é entravado pelos policiais que tratam de investigações que envolvem interesses de grupos poderosos. Ele citou que a prisão por falta de documentos não é legal pois em nenhum lugar do Código Penal a falta de documentos pessoais é prevista como crime.

"Cabe à polícia, aos policiais em geral, a prática da Justiça antes de o caso chegar as barras dos tribunais. Todo delegado deve apelar

O delegado Waldemar Castro relatou as conclusões do Congresso

Para Celso Telles, de São Paulo, o policial é um injustiçado

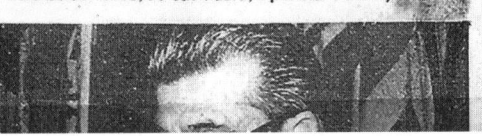

— *Mas então você precisa contar direito esse encontro no hotel Glória...*

— No hotel Glória foi... O que era pregado para nós? Era que o Golbery tinha traído. E que só havia um jeito. Nós que lutávamos contra a esquerda e contra o comunismo, nos juntarmos e continuar a luta. Por isto é que nós obedecíamos cegamente. Nós achávamos que estávamos fazendo certo.

— *Mas vocês acreditavam que o Golbery tinha traído? Você acha que ele traiu? Porque ele era da ultradireita...*

— Traiu. Quer dizer, ele obedeceu aos americanos. A traição dele foi obedecer à ordem do Jimmy Carter, que veio aqui e disse que era para parar com as torturas.

A esposa (Rosalyn Carter) dele também viu coisas e denúncias em Pernambuco. E aí pegou.

— *Esse diálogo do Jimmy Carter sobre o fim das torturas foi reproduzido no livro que conta a vida de Dom Paulo Evaristo Arns, e se deu dentro do carro do presidente. Consta que ele deu uma carona para o Dom Evaristo, que aproveitou para denunciar as torturas. Ele, Jimmy, decidiu que as torturas precisavam parar.*

— É, mas quem pôs a boca no trombone foi a mulher dele [Rosalyn Carter]. E o Golbery obedeceu.

— *Tudo que nós estamos conversando tem que ter uma lógica. Quando foi o hotel Glória?*

— Foi assim. Em meados dos anos 1980, nós tivemos uma reunião dos países sul-americanos. Em *off*, nós estávamos tratando era da Operação Condor. Era para fazer os atentados que nós passamos a fazer, para não ter a abertura, e mais a operação. Tinha inclusive americanos também.

Waldemar de Castro explicou que a função policial leva aquele que a exerce a uma agressividade incomum. Porém ressaltou que a má educação não é privilégio do policial. Ela existe em todos setores do funcionalismo público. Explicou que esta agressividade nasce no contato com marginais e no convívio com a violência: — "É o uso do cachimbo que faz a boca torta" — comentou ironicamente.

Waldemar Gomes de Castro reafirmou que a polícia tem um caráter repressivo acrescentando que atualmente é uma "desclassificação" ser policial: — "É contra isso que precisamos lutar" — protestou ele. Segundo o delegado Waldemar de Castro, o povo está com a polícia e se queixa apenas de alguns policiais ou da falta de maior policiamento: — "A polícia é como uma árvore frutífera. É preciso que se balancem seus galhos para que os frutos podres venham ao chão" — enfatizou o delegado.

Ele disse que é preciso sacudir a instituição policial para que haja ali uma limpeza e que para tanto a comunidade depende do próprio policial: — "Não temos medo de bandidos, mas sim de acabarmos no banco dos réus ou mesmo na penitenciária, nivelando-nos ao marginal".

Waldemar Gomes de Castro atribuiu a violência urbana ao individualismo e à concorrência nas cidades grandes que, como explicou, são o princípio filosófico do capitalismo. Ao fim de sua conferência pediu uma salva de palmas para todos policiais mortos em serviço.

POLÍCIA UNIFICADA

O delegado geral de polícia de São Paulo, Celso Telles, defendeu a unificação da polícia. Segundo ele, apenas três países no mundo — Brasil, Vietnã do Coréia do Sul — militarizaram suas polícias. Acrescentou que deveria existir somente uma polícia civil, com um destacamento fardado nos moldes do que ocorre na Inglaterra — Os Bobbies

opinião em São Paulo a migração é a maior responsável pela criminalidade.

AGILIZAÇÃO DA JUSTIÇA

O presidente da Associação das Autoridades Policiais do Estado do

violência contra a vida, o menor, a saúde pública e outros são também formas de violência da personalidade. Propôs a criação do ombudsman, já existente nos países europeus, que dão ao regedor da República autoridade

O delegado Aliverti quer a unificação da PM com a Polícia Civil

Mais de 200 pessoas participaram do Congresso no Hotel Glória

[...] um amontoado de papel [...]
[...]ados dos arquivos — disse [...]

juiz Paulo Alves, ao ser questionado pelo delegado Claudio [...] durante os debates sobre a [...]dade ou não da abertura de um inquérito mesmo com suspeitos já condenados em júri sintetse referindo à nova fase do Araceli no Espírito Santo, ressaltou que as novas investigações legais e protegidas pelo bom dos homens já que "até mesmo Tribunal de Justiça pode. Quanto mais um juiz, que é um homem comum, como tal passível de erros e enganos". Paulo Gomes defendeu a abertura de novo rito em casos onde surgem suspeitos e citou alguns casos de fatos semelhantes ocorridos em outros pontos do País.

CIFRA NEGRA

[...] advogado Augusto Thompson, [...]retor geral do Departamento [...]tema Penitenciário do Rio de [...], descreveu a ameaça do aumento dos índices de criminalidade citando que cerca de 30 [...]nto dos delitos verificados não [...]m ao conhecimento das autoridades policiais, o que aumenta o [...]ma. Estes delitos, conhecidos [...]ios policiais e judiciais como cifra negra" vão desde casos de [...] até homicídios cujos corpos são encontrados.

[Au]gusto Thompson citou como [...]o os muitos furtos ocorridos [...]upermercados que são conhec[...]as diretas de neurose do [...]mo a que se refere o filósofo [...]no. Erich Fromm. O cidadão [...] é impelido ao furto de merc[...]as as quais seu poder aqui[...]sitivo não permite usufruir. Quando [...]s são perdoados pelos ret[...]eis pelos supermercados que [...]m ocultar o fato evitando uma [...]dade negativa.

[Tam]bém fazem parte da "cifra [...]s jogos de azar, a agiotagem, [...]oração do lenocínio, o con[...]do (que hoje é considerado [...]ninho, quando realizado em [...]ções pequenas), os furtos no [...]o, a corrupção ativa e pas[...]subornos, e muitos outros [...]os crimes que ocorrem em [...]s, clubes, etc,".

[Thom]pson dissertou sobre o [...]na do cheque sem fundos que [...]à lei recentemente aprovada, [...]ime quando não é pago antes [...] feita a denúncia formal na [...]. A culpa se extingue quando [...]e é pago antes da denúncia, [...] crime existiu. Quanto aos [...]íos que se incluem na "cifra [...]o advogado lembrou que de 1980 foram registrados pela [...]do Rio de Janeiro cinco mil [...]onatos cujos autores permanecem ignorados. Assim existem [...] muitos outros onde os cor[...]s vítimas não são encon[...]

[Po]breza é causa de prisão, [...]aioria dos criminosos não é [...]riamente pobre" — disse [...] Thompson se referindo aos [...]dos chamados "colarinhos[...]" cujos atos criminosos [...]empre não chegam às barras [...]unais. Thompson garantiu [...]ifra-negra" é parte importante [...]statística sobre o aumento [...]nalidade no País e que suas [...]es são alarmantes, se com[...]com os casos registrados e [...]ente reconhecidos como praticados. Esta cifra [...]pele o cidadão comum a

O juiz Paulo Alves afirmou que a polícia [...]

delinquência, pois ele vê o crime ser praticado e a impunidade de seus autores.

ESTRANGEIROS

As últimas conferências do 1° Congresso Brasileiro de Violência Urbana e suas Implicações foram feitas pelos policiais Philip Giardina e Dick Mac Dowell, do Departamento de Polícia de Nova York — USA.

Giardina, que é capitão de polícia da cidade de Nova York, falou sobre o combate ao tráfico de tóxicos nos Estados Unidos demonstrando toda a sofisticação e recursos da polícia americana o que deixou a platéia — formada de policiais brasileiros — entre a frustração e embevecimento.

Giardina revelou que um agente da divisão de tóxicos da polícia americana pode receber até cinquenta mil dólares para efetuar uma investigação. O dinheiro, antes de ser entregue ao policial, é fotografado e marcado para mais tarde servir de prova contra o traficante preso. A infiltração de agentes do Departamento de Narcóticos está muitas "gangs" que exploram o ramo do tráfico de drogas nos Estados Unidos é a maior arma do sucesso da polícia neste tipo de combate às drogas. Explicou Giardina que muitas vezes um agente passa semanas e até meses na tentativa de ganhar a confiança dos traficantes para depois de levantar todas as informações sobre a atuação do grupo e acionar o esquema para a prisão dos acusados. Porém, estas prisões só são realizadas depois que o Departamento contar com provas suficientes para levar o caso aos tribunais.

Dick Mac Dowell, do setor de Computadores da polícia novaiorquina, falou sobre o uso de computadores no combate ao crime, mostrando como a eletrônica está sendo utilizada neste setor. Um suspeito pode ser investigado em apenas cinco segundos, e qualquer guarda de rua pode nas este mesmo espaço de tempo obter informações sobre veículos ou pessoas suspeitas.

CONCLUSÃO

O saldo do 1° Congresso Brasileiro de Violência Urbana e suas Implicações foi positivo, por diversas razões. Registrou-se um importante intercâmbio de informações e idéias entre policiais dos mais diversos cantos do País e importantes conclusões foram obtidas.

O sucesso do congresso certamente fará com que a Secção Brasileira da International Police Association — I.P.A. — venha a promover e outros idênticos, visando sempre uma melhor aproveitamento do trabalho policial no Brasil.

As conclusões finais do Congresso ficaram a cargo do delegado Waldemar de Castro, e abaixo publicamos, na íntegra, sua redação final:

[...] [Incluídas no temário deste] Conclave constam [...] relacionados com o binômio polícia-povo. Foram seus conferencistas o Delegado de São Paulo Cério Tines e o Delegado [...] de Castro, deste Estado.

Sustentou aquele policial a necessidade de ser mudada a imagem da Polícia não só no tamanho dispensado ao pagamento na prestação de serviços à comunidade. Informou essa[...] autoridades policiais de seu Estado, São Paulo, rotineiro-social, e mais, realizarem-se periodicamente, nas sedes policiais, reuniões comunitárias. Defendeu a necessidade da reorganização estrutural da Polícia do País.

Foi solicitada por um dos conferencistas a reavaliação do comportamento policial.

Foi votada e aprovada por aclamação uma moção especial a ser dirigida a S. Exªs. os Srs. Governadores dos Estados, onde não exista, a criação da Polícia Civil de Carreira.

Abrilhantando o nível técnico deste congresso, trouxeram-nos criminalistas e colegas dos Estados Unidos, dos mais distinguido valor, notáveis informações acerca da sistemática de combate ao crime, através dos computadores e helicópteros. Philip Geardina, policial especializado do D.E.A. discorreu sobre o controle e repressão ao tráfico de narcóticos, bem como métodos e técnica de que se vale aquele Órgão nas suas atividades rotineiras especiais, enfatizando a rapidez com que são julgados.

Emergem desta reunião com um brado de alerta essas duas mensagens de esperança: ajudem-nos a salvar nossa Polícia retirando o estigma da desclassificação social que nos impuseram; eduquemo-la através, não só de Academia, mas de uma Universidade de Polícia, com um programa nacional onde se ensine realmente o ser polícia, profissionalizando-a em moldes técnico-científico...

Acabem com a duplicidade equívoca de duas corporações, fonte natural de desentendimentos e conflitos, confiem-nos a uma direção única, eliminando a duplicidade de comando na mesma área e para uma só atividade; dêm-nos missões e responsabilidade para cujo desempenho só pedimos meios materiais e respaldo legal.

E ainda, cuidem de nossa infância, busquem compreender nossa juventude, ambos o Brasil de amanhã; conheçam-nos antes de criticar-nos; ajudem-nos a ajudar a vocês, apreciem-nos como gostamos de vocês, profissionais liberais, sacerdotes, de quaisquer ceitas, militares, comerciantes, trabalhadores. Vocês, gente como nós, para que todos, somando esforços, ombro a ombro, dentro de uma compreensão e respeito mútuo, possamos travar com êxito, na estacada da Lei, uma batalha lúcida contra a criminalidade". •

Quem organizou foi o Celso Telles, um delegado que deu ordem para não fazer a autópsia no Fleury, só para você sentir a importância dele. Ele era o homem de São Paulo. Eu tenho um jornal que fala disto. Eu fui daqui representando o estado, Pedro Maia que estava vivo até bem pouco tempo também foi como imprensa. Ele quando soube da realidade, ficou de queixo caído.

— *Então, no duro, vocês foram tratar de Operação Condor e bombas para impedir a abertura? Isso foi discutido abertamente?*

— Foi. No contexto do seminário. Entre os policiais que estavam ali, entre os oficiais...

— *E quem era?*

— Eu vou separar para você.

— *Essa cúpula era composta por quem?*

— Tinha dois oficiais da polícia de Nova York, do Chile, da Argentina e de todos os estados brasileiros. Só que o que foi combinado alguns estados não cumpriram.

— *Quem não cumpriu?*

— Recife não cumpriu. Minas cumpriu. Aqui eu fiz o que tinha de fazer, Rio e São Paulo começaram com as bancas de revistas... Não frutificou como devia. Acho que ficaram com medo da abertura.

— *Voltando para a irmandade e a maçonaria... Você foi cooptado pela maçonaria?*

— Fui. No início dos anos 1970. Para a irmandade eu entrei em 1974. Poucas pessoas maçons sabem da irmandade. Primeiro você entrava para a escuderia. Quem entrava na escuderia eles começavam a chamar de irmãozinho e ia ser maçom. Aí você já sabia que o cara ia para a irmandade.

— *Por isso que existia aquele jargão policial de se chamarem de "irmãozinho"?*

— Sim. Até hoje. Muitos colegas seus, jornalistas; promotores, juízes, eram irmãozinhos. Até hoje eles me chamam. Eu respondo que aqueles que aceitam Cristo são meus irmãos. Do contrário eu não sou irmão deles mais não.

— *Então você entrou para a maçonaria em 1974?*

— Foi. E logo em seguida eu fiquei sabendo de onde vinham os caras da tal irmandade.

— *Em que mais a irmandade atuava?*

— A irmandade funcionava mais como um supridor das necessidades que tinha.

As operações...

— *Essas viagens para a Itália, para que serviam?*

— Isto era mais um agrado.

— *E, na Itália, para que região as mulheres de policiais iam?*

— Iam para Milão.

— *Então a irmandade começou a financiar o terror. Dando o quê? Carros? Armas?*

— Eu recebia metralhadoras, tudo isto. Nunca faltou munição e carros. A Federal que passava para mim. Eu pegava lá no Ponto Zero, no Rio. Onde tem aquela refinaria... Em Bonsucesso, perto do Sabão Português. Ali era um depósito exclusivo para nós. E, também, ficava centralizado um pessoal que dava cursos para nós de explosivos, como arrombar uma casa. Era tudo ali.

— *O sargento Rosário fez curso lá?*

— Não sei. As equipes eram compartimentadas. Não se podia falar.

— *Você era sócio do capitão Guimarães no jogo de bicho?*
— Guimarães. Conheci ele como tenente do PIC – Pelotão de Investigações Criminais (*PIC*) do 1º Batalhão de Polícia do Exército. Ele era da PE (Polícia do Exército). Eu era delegado do Dops, e uma vez por mês, eu e o secretário de Segurança íamos ao Rio para a reunião da comunidade de informação. Eu o conheci lá. Ele era tenente. Em [19]83 ou [19]84... Não. Em 1982. A esquerda ganhou o governo aqui e a esquerda começou a mandar quente para cima de mim. Que eu tinha mandado matar fulano, sicrano... O secretário de segurança era um cara que era informante do SNI, mas só que ele não sabia de mim. Aí eu pedi ao Perdigão para abrir o jogo para ele. Cheguei e disse: "Olha delegado, nós estamos na mesma trincheira. O senhor veio aqui, dedurou o Camata e a mim, sendo que estamos do mesmo lado, eu e o senhor". Ele ficou muito constrangido, perguntou o que podia fazer para consertar.

— *E o que você sugeriu?*
— Eu fiquei na minha, porque o SNI tinha um trato com a gente que, se caso ficasse ruim para nós nos nossos estados, eles ou me mandariam para ser professor na escola de polícia, ou me mandariam para uma embaixada aqui, da América do Sul. Esse era o compromisso comigo.

— *Com você ou com todos?*
— Com todos. É tanto que tem dois coronéis do caso Baumgarten[7] que foram, mas foram reconhecidos lá fora. Só

---

[7] Caso Baumgarten - Em 1982, o jornalista Alexandre von Baumgarten foi assassinado. O caso veio a público no ano seguinte, após a publicação de um dossiê em que ele acusava integrantes do SNI de planejar sua morte. (Wikipédia). A História: Um corpo apareceu boiando na praia da Macumba, Zona Oeste do Rio de Janeiro, em 25 de outubro de 1982. No bolso da bermuda estavam os documentos do jornalista Alexandre von Baumgarten, desaparecido havia 13 dias. Baumgarten

me lembro que o nome dele era Ary. É fácil de achar. (*Ary de Aguiar Freire, então chefe de Operações da agência Rio do SNI, para trazer seu grupo*). Chego lá no Rio, digo que o secretário tinha me mandado para lá. Os caras disseram: "Guerra, você não está vendo que o SNI está fechando as portas?" Eu disse: "Tô vendo, mas o que vocês vão fazer comigo?" Eles disseram que tinha um "irmãzinho" que estava abrigando todos os que foram ficando no desvio. Eu estava lá na sauna com o Augusto [sócio do Angu do Gomes]. Ele disse que ia me levar numa pessoa. Ele me pegou lá e me levou no Castor de Andrade[8]. O Castor fez aquela festa. O coronel Perdigão era o chefe da cúpula da segurança do jogo

---

foi visto pela última vez na manhã de 13 de outubro quando deixava o prédio em que morava. Havia saído com a esposa, Jeanette Hansen, para uma pescaria. O casal combinara de encontrar o barqueiro Manuel Valente Pires no cais da Praça XV: de lá zarpariam a bordo da traineira Mirimi para o mar aberto, próximo às ilhas Cagarras. O tempo estava fechado. Nunca mais foram vistos. (Wikipédia) Ver: <http://memorialdademocracia.com.br/card/baumgarten-expoe-as-visceras-do-sni>. Três dias após a identificação no Instituto Médico Legal, Baumgarten foi enterrado como vítima de afogamento. Em janeiro de 1983, a versão mudou. Uma reportagem publicada na revista Veja revelou que Baumgarten fora assassinado com dois tiros na cabeça e um no tórax. O laudo do IML, assim como as cápsulas de bala que estavam alojadas em seu corpo, estava anexado ao inquérito arquivado na 16ª DP da Barra da Tijuca, que não investigou o crime até receber ordem da Justiça. Em fevereiro, a revista publicou um dossiê secreto, escrito pelo jornalista, em que ele denunciava a existência de um esquema de lavagem de dinheiro envolvendo empresas privadas, o Serviço Nacional de Informação (SNI) e a revista O Cruzeiro (de que Baumgarten foi sócio), que funcionava como uma mídia de apoio ao governo. O dossiê foi enviado a dez pessoas e tinha a indicação no envelope de que só poderia ser lido em caso de desaparecimento ou morte do jornalista. O documento revelava que Baumgarten fora jurado de morte e acusava diretamente o general Newton Cruz, então chefe da Agência Central do SNI, de ser o autor da sentença. Ver: GASPARI Elio. A Ditadura Acabada. 1ª Ed. São Paulo: Editora Intrínseca.

[8] Castor Gonçalves de Andrade e Silva Membro é carioca e da terceira geração de uma família ligada ao jogo do bicho. Tornou-se o chefão da contravenção no Rio e, no auge do poder, expandiu seu império, muitas vezes a bala, chegando a bancar o jogo em outros estados, inclusive no Nordeste. Ver: <https://acervo.oglobo.globo.com/em-destaque/castor-de-andrade-chefao-do-bicho-cria-imperio-base-de-bala-corrupcao-21182564#ixzz5qOAR7rKq>. Ver: OLIVEIRA Sobrinho, JB (de JoséBonifácio), O Livro do Boni/José Bonifácio Sobrinho, Rio de Janeiro: Casa da Palavra, 2011.

do bicho. E ele disse que não estava mais precisando daquilo, que eu assumisse o lugar dele.

— E quem mais estava lá? O capitão Guimarães[9] estava?

— Eu não vi o capitão Guimarães por lá. Minha conversa foi direta com o Castor de Andrade. Eu aceitei com uma condição. Havia muita matança entre os caras do jogo de bicho. Eu disse que só aceitava se eu tivesse poder. Porque aí eu ia acabar com os exércitos particulares que cada um tinha. Eles aceitaram.

— E como você se adaptou?

— Tinha muitos policiais. Eu passei a dar aulas de segurança para eles. Dava instruções de tiros. E mantive a unidade. No período que eu fiquei lá quase não teve mortes.

— E qual foi o período?

— De 1983 a 1985. Eu consegui pacificar.

— E qual a ligação da Liesa[10] com tudo isto?

— O Boni é sócio de lá. Ele que faz os CDs do carnaval da Liesa. Eu não tinha nenhuma ligação com o capitão Guimarães. Toda quinta-feira rolava um pôquer lá. Toda a

---

Ver: JUPIARA Aloy, et al. OTAVIO Chico, Os Porões da Contravenção – Jogo do Bicho e a ditadura militar: a história da aliança que profissionalizou o crime organizado, Editora Record, 1ª Ed., Rio de Janeiro, 2015.

[9] Aílton Guimarães Jorge, mais conhecido como Capitão Guimarães – Rio de Janeiro 24 de novembro de 1941 (idade 77 anos) - 24 de novembro de 1941 (idade 78 anos), é um bicheiro e ex-militar brasileiro. Oficial das Forças Armadas durante o período da Ditadura Militar, é acusado de ter participado de procedimentos de torturas contra presos políticos. Após deixar o Exército, tornou-se banqueiro do Jogo do Bicho. (Wikipéwedia). Ver: <https://blogs.correiodopovo.com.br/blogs/juremir-machado/2013/10/5143/corrupcao-e-contravencao-na-ditadura/> - 6 de outubro de 2013 – Juremir Machado da Silva.

[10] A Liga Independente das Escolas de Samba do Rio de Janeiro é a principal associação que organiza o carnaval do Rio de Janeiro. Fundada em 24 de julho de 1984, tem sede na Av. Rio Branco, nº 4. Website: liesa.globo.com

Ver: JUPIARA Aloy, et al. OTAVIO Chico, Os Porões da Contravenção – Jogo do Bicho e a Ditadura Militar: a história da aliança que profissionalizou o crime organizado, Editora Record, 1ª Ed., Rio de Janeiro, 2015.

cúpula se reunia. Eu dizia para eles: "Olha, vocês vão cair do cavalo porque estão ostentando demais". As torneiras eram todas folheadas a ouro. Você chegou a ir lá? Era um luxo. Cansei de ver político lá na fila para poder conversar com o bicheiro.

— *Quem?*

— Quem eu não sei. Seria irresponsável estar falando...

— *A quem você está protegendo?*

— Não estou protegendo a ninguém. Só não quero ser irresponsável. Eram muitos. Enquanto a cúpula funcionava o tráfico não progredia. A mentalidade deles é a de que contravenção é contravenção, não é crime. Não é contra a sociedade. Já o tráfico...

— *Mas misturou. Em 1991 entrevistei para as páginas amarelas da Veja o promotor Rafael Cesário, que denunciava o envolvimento do tráfico com o jogo de bicho... A matéria dizia que o Maninho mexia com o tráfico.*

— Quer ver outro que se envolvia, era o filho do Raul Capitão.

— *E você trabalhou para eles de quando a quando?*

— De 1982 a 1984... 1985... Aí eu tive que voltar para assumir o meu posto de delegado aqui.

— *E você então era segurança de toda a cúpula do bicho?*

— Era...

— *E quem era a cúpula?*

— Na época a cúpula era... Castor era o presidente, tinha o Anísio... [Anísio Abraão Davi, presidente da Escola de Samba Beija-flor de Nilópolis, banqueiro de bicho e acusado de ser ligado ao aparelho de repressão da ditadura, na Área da Baixada Fluminense]. O Antônio Kalil...[Antônio Petrus

Kalil, conhecido como Turcão, era o banqueiro de bicho que durante muitos anos comandou as bancas da região de: Niterói e São Gonçalo, além dos municípios de Itaboraí, Rio Bonito, Silva Jardim, Saquarema e Araruama, na Região dos Lagos. O Guimarães... Essas eram as pessoas com quem eu convivi...

— *Você sabia que o prédio onde fica a faculdade Cândido Mendes, na Rua da Assembleia nº 10, em que funcionava a Liesa, é da Ordem Terceira?*

— Sei. Você vai chegar... Eu naquela época me empolgava com essas coisas. Morava em Copacabana, tinha uma mulher em Niterói, tinha outra em Copacabana que foi duas vezes capa da Playboy. Eu não saía do Angu do Gomes, que vivia recheado de colegas seus. Esta minha mulher que foi modelo era amiga da Jussara, que era a mulher do Augusto, um dos sócios do Angu do Gomes.

— *Você falou em Angu do Gomes e eu me lembrei. O Basílio, um dos donos, irmão do Augusto, ele depôs no Ministério Público e foi acompanhado da filha. Ela começou a lembrar que estava na noite do Riocentro e que na véspera estiveram na casa dela o Zamith, que costumava ir lá jogar carteado, porque eram vizinhos, acompanhado de certo Lu. Sabe quem é ele? Luiz Santos Lobo?*

— Este eu não conheci. O Zamith eu sei. [José Ribamar Zamith era lotado na vila Militar – Realengo – Rio de Janeiro e cunhado do interventor e ex-prefeito de Nova Iguaçu.]

— *O que aconteceu depois que você veio para o jogo do bicho?*

— Eu entendia que ali era a irmandade que estava me bancando. Foram eles que me indicaram.

— *Quanto você ganhava? E era a irmandade que pagava você, ou eram os bicheiros?*

— Eu tinha dinheiro para comprar um carro por mês, se eu quisesse. Eu entendia que era a irmandade...

— *E o que foi feito desse dinheiro?*

— O que vem fácil sai fácil. Eu tinha patrimônio, mas fazia festa, bancava almoço, dava carro para os outros. Depois da primeira prisão eu gastava demais com advogados. Fazia festas... Na prisão eu bancava almoços...

— *Para quê? Para ter regalias?*

—Não. Eu não ia na rua, mas as pessoas vinham, porque se eu fosse para a rua a imprensa vinha em cima.

— *Você ficou preso onde?*

— Na delegacia de Vila Velha, onde ficam os policiais civis presos. Depois que transitou em julgado foi que eu fui para um presídio comum.

— *Todos os remanescentes do SNI foram se filiar à irmandade? Ou eles já eram inscritos?*

— Teve um tenente e um sargento que ficaram depois sob as minhas ordens, eles não foram para a maçonaria. Não eram confiáveis. O tenente Odilon iniciou, mas foi cortado... Ele não ficou sabendo de nada. Ele ficava sabendo de alguma coisa, mas não tudo. E tanto era assim que na queima de arquivo que houve, uma das ordens era eliminar ele.

— *Era uma ordem do SNI ou era uma vingança pessoal sua?*

— Não. Eu recebi esta ordem do comandante Vieira e do Freddie Perdigão.

— *Mas o que eles tinham contra ele? Eram os crimes de mando?*

— Eles não confiavam mais. Chegaram à conclusão de que ele estava cheirando muita cocaína. Ele sabia de segredos. E foi uma das pessoas que foram [mortas]. Eu já pedi perdão a Deus, mas na época eu agradeci de receber a ordem.

— *Por causa da morte da Rosa, que você diz que foi ele?*

— É. Uma coisa de lá de Cambahyba que não estão investigando é que eu matei o Odilon às 11h30 da manhã, dentro de casa, de tiro .38, sem silenciador; pow! [faz a onomatopeia do tiro]. Nós o deixamos ali até a noite. E incineramos o corpo na usina. Quer mais prova do que isto?

— *Você o matou por ordem do SNI, mas tinha também a vingança pessoal, não é? Ele tinha matado a Rosa, sua ex-mulher, e colocou a culpa em você. Não foi isso?*

— Sim. Eu fui condenado a 18 anos por este crime, mas acabou prescrevendo e não teve nada não. Ele estava cabreiro comigo. Eu estava levando ele (sic.) para o Rio. Nós paramos para almoçar. Estávamos dentro da casa do João Bala, filho do Eli Ribeiro. O Vavá estava junto. Estava também o cabo Pavorelli.

— *E onde está o Pavorelli?*

—Eu tinha passado o nome dele... Nos livros de história ele consta como torturador. Na hora do Odilon ele estava comigo.

— *Sim, mas qual era o principal foco de atuação dele?*

— Ele era da escuderia. Eu fui padrinho dele na escuderia.

— *E tinha um ritual?*

— Tinha. Juramento... Copiado da Maçonaria. Era o mesmo da irmandade... Nós achávamos que éramos guerreiros, mesmo.

— *É parecido com o da maçonaria? Você estava me contando a morte do Odilon.*

— É. Eu estava vindo da cozinha, quando passei na sala comentei que ele não estava falando comigo direito... Ele ia responder que era por causa daquela vag... Ele ia falar vagabunda, mas eu não deixei. Não deixei ele (sic) terminar. Meti a mão. Ele meteu também, mas eu fui mais rápido. Eu acertei ele na cara. Ele ainda se levantou com a arma na mão, mas eu passei por trás dele e dei mais um tiro. A poltrona nós tivemos que jogar fora... E isto foi um negócio assim... Quer dizer, agora dizerem que nunca aconteceu nada... Eu já cansei de pedir para me colocarem em acareação com o Vavá. Bota o Vavá de frente comigo. Vamos ficar *tête-à-tête*. No depoimento ele falou que nem me conhecia, mas o delegado Cande, que era um delegado da federal destacado para me acompanhar quando eu era preso, colocou ele no Skype. Quando ele me viu, logo falou: "Oi, Dr. Claudio..." Quer dizer, caiu a ficha.

— *Quem é esse delegado?*

— Ele andou me acompanhando em diligências. Eu disse que matei o Nestor Veras [dirigente do PCB, Partido Comunista Brasileiro, morto e desaparecido durante a ditadura] dentro de uma mata, em Minas. Ele foi o responsável por mapear o lugar. Eu fui junto. Eles foram lá, escavaram, eu estava junto... Mas eu precisava ter ido antes, me familiarizado com o local que nesses trinta e muitos anos mudou muito. Antes eu falei que ia gastar 30 minutos para chegar. E fomos certinho. Eu descrevia o lugar, mas eu fui lá há mais de 30 anos. Eu disse que ficava próximo à porteira. Só que agora tem uma casa e na época eu não vi esta casa... Não tinha ninguém morando. O local é aquele ali. Eu creio que se fizer uma coisa mais bem-feita, se colocar um aparelho lá, talvez ache. Quem enterrou ele foi o Joãozinho Metropol e o Saraiva. Dois policiais de Minas.

— *E o Merival? Onde você o matou?*

— Foi feito uma cena. Nós éramos enganados também. A gente chegava achando que estava cumprindo uma missão. O Merival Araújo [militante da ALN, Ação Libertadora Nacional, grupo que lutava contra a ditadura. Preso na Rua das Laranjeiras e sepultado em 24 de maio de 1973, 10 dias depois de sua morte] era do Alto Paraguai.). Morreu no Rio de Janeiro. Isto quer dizer que eu tenho responsabilidade sobre esta investigação. Consta para mim que ele morreu dentro do DOI-CODI. Nesta época tudo o que a gente fazia tinha um teatrinho montado.

— *Como foi a morte dele?*

— Foi em abril de 1973. O cenário de onde estávamos fazendo era a Praça Tabatinga. Só que, pelo que eu sei, ele já estaria morto.

— *Como assim, você deu tiro no morto?*

— Eu estava achando que estava executando a pessoa. Foi na Praça Tabatinga, na Tijuca. Eu sei mostrar se eu for ao local.

— *E o que fizeram dele?*

— O Perdigão nos falou que o Merival, por ter participado da morte do delegado Otávio Gonçalves, morto em Copacabana, era um cara muito perigoso. Por isto a gente estava dando os tiros nele.

— *Ele foi retirado quase morto de dentro do DOI e você acabou de matar, foi isto? Você o matou e foi embora?*

— Esse corpo acho que apareceu.

— *Deixa-me ver o que diz o meu "livrão". Aliás, você vai ter que ver este livro e vai marcar os que são seus. Aqui tem ele. Nasceu no Rio e foi para o Alto Paraguai. Era professor e foi preso na Rua das Laranjeiras. Atestado de óbito dado ao pai. Foi sepultado como indigente no Cemitério de Ricardo de Albuquerque. Depois seu corpo foi resgatado e reconhecido. Então vocês deixaram lá e ele foi recolhido como indigente?*

— Naquela época tinha o pessoal da contrainformação. Ali eles iam, diziam que houve troca de tiros. A gente "fazia" e deixava lá.

— *O que você acha dessa ideia, de eu deixar este livro com você? Você vai ver as fotos de cada um, ver quais são os seus, quais você reconhece, e amanhã você vai me dar todo marcadinho. Combinado?*

— Combinado.

— *Por que essa irmandade está lá até hoje? Você acha que ainda tem gente recebendo por lá?*

— Pegando o livro de 1974 em diante, você vai achar. É ali, na Igreja de São José dos Militares [Rua 1º de Março, centro do Rio].

— *Agora falta a gente falar de episódios e, também, quero entender a divisão e a função de órgão por órgão dentro do aparato da repressão. Existia realmente uma estrutura? Cada órgão era responsável por uma organização?*

— Não. A divisão que tinha era...

— *Como era esse aparato? Vamos fazer um organograma.*

— O SNI era a cabeça.

— *Pendurado onde no organograma da presidência da República?*

— Na presidência da República, direto.

— *Quem respondia pelo SNI era a presidência?*

— Sim. É tanto que quando a gente ia para qualquer lugar tinha que telefonar e dizer: "Presidência, está indo uma equipe tal, para tal lugar".

— *Então nenhum presidente podia dizer que não sabia, não é mesmo?*

— Não. Todos sabiam de tudo.

— *Como era a conformação do SNI?*

— Até hoje é assim na Abin. Tinha um chefe, em geral um general, que chefiava tudo. Em Brasília direto. Todo dia ele tinha que ter audiência com o presidente. Todo dia era relatado ao presidente o que acontecia. Desde quem caiu a quem foi morto, tudo. A operação que ia realizar... Não adianta dizer que não sabia. Sabia sim.

— *Então qualquer um que se sentasse na cadeira da presidência da República tinha que ficar sabendo o que estava rolando?*

— Tinha. É tanto que nós íamos fazer um atentado lá no Rio. Nós íamos pegar o dono de uma empresa que transporta explosivos ali da... Eu não estou conseguindo me lembrar. Era em frente à Praça Mauá, a empresa. Eu quero me sentar com o Mineiro que ele vai se lembrar. Mário Viana Filho, o nome dele. Esse dono da empresa tinha sido seduzido pelo Augusto. Ele ia dar as coordenadas, e na hora que o motorista dele estivesse transportando dinamite nós íamos pegar o motorista, deixar ele (sic) escondido, trazer o caminhão com explosivos, colocar dentro do *Jornal do Brasil*. E tinha dois cubanos hospedados na Rua República do Peru (em Copacabana), num hotel. Esses dois cubanos iam ser amarrados e iam explodir junto para parecer que foram eles. Nós estávamos no Angu do Gomes, e veio um tal de dr. Ney, que era um codinome, claro, com ordem do Golbery para suspender a coisa. Quer dizer, eles acompanhavam tudo. Esta operação que já estava toda montada foi suspensa. Não soubemos por que, mas foi. Esse coronel se matou pelos idos do ano de 2000, com cinco tiros. Quem se mata com cinco tiros?

— *Foi queima de arquivo?*

— Quem se mata com cinco tiros, dentro do quartel?... Dr. Ney era o codinome. Não estou me lembrando o nome dele. A ideia desta operação era chamar a atenção.

— *Como eram as ligações entre os órgãos? Quem era ligado a quem?*

— O CISA[11] era mancomunado com o SNI.

— *E como funcionava todo o esquema?*

— Para você ter uma ideia. Seria hilário se não fosse trágico. O SNI recebeu informação, isso já em 1980, que tinha um grupo de esquerda recebendo muita arma do exterior.

---

[11] Centro de Informações da Aeronáutica (CISA) foi um órgão interno da Força Aérea Brasileira, extinto em 13 de janeiro de 1988. Foi precedido pelo Serviço de Informações da Aeronáutica (1968), pelo Serviço de Informações de Segurança da Aeronáutica (1969) e pelo Centro de Informações de Segurança da Aeronáutica (1970), sendo afinal extinto em 1988 e substituído pela Secretaria de Inteligência da Aeronáutica (SECINT). Em 26 de agosto de 2004, pelo Decreto n° 5.196, a SECINT passou a compor a estrutura do Comando da Aeronáutica, com a denominação de Centro de Inteligência da Aeronáutica - CIAER. <https://www.ufmg.br/brasildoc/temas/2-orgaos-de-informacao-e-repressao-da-ditadura/>
Ver: FICO, Carlos. Como eles agiam; os subterrâneos da ditadura militar; espionagem e polícia política. Rio de Janeiro: Record, 2001;
Ver: QUADRAT, Samantha Viz. *Poder e info* <https://www.ufmg.br/brasildoc/temas/2-orgaos-de-informacao...ditadura/2-3-cisa/>
JOFFILY, Mariana. No centro da engrenagem; os interrogatórios na Operação Bandeirante e no DOI de São Paulo (1969-1975). São Paulo: EDUSP, 2013;
GODOY, Marcelo. A Casa da Vovó; uma biografia do DOI-CODI (1969-1991), o centro de sequestro, tortura e morte da Ditadura Militar. São Paulo: Alameda, 2014.

Esse grupo se chamava "Setembro Negro"[12], e estava preparando uma ação para o dia 7 de setembro. E quem era o infiltrado nesta organização? Eu. Eu fui incumbido de receber essas armas, e os caras passavam armas. Esse dr. Ney vinha de Brasília, na Procuradoria da República, aqui, voltava e eu continuava no Rio, com as armas.

— *As armas estavam vindo para a esquerda?*

— Sim. Mas deixa eu te explicar como os caras eram todos divididos. Igual à esquerda. Era cada um para um lado. Por isto também que não conseguiram êxito. Numa noite eu estou lá na casa do Jony Romaguera, que era um cara da Federal. Um outro cara que trabalhava com o Claudio Barrouin, que era o elo de como as armas chegavam do exterior, e esse Jony Romaguera Trota era o cara dele. É tanto que eu o conheci como agente da CIA. Está vivo e mora no Rio, na Tijuca, no mesmo lugar. Uma noite o Barrouin me chama para ir lá em Santa Tereza, que ele ia experimentar uma pistola, que ele tinha recebido. Chegando lá ele me deu uma e mandou: "Testa aí". Eu "cabrerei" (*desconfiei, fiquei cabreiro*). Segurei a arma, mas disse: "Testa você. Você que veio testar..." Eu vi que a arma estava sem munição. Então eu percebei que eles estavam convencidos de que eu estava infiltrado no meio deles. Eu percebi que eles armaram para eu morrer de arma na mão. Eu narrei para o Perdigão e ele me alertou: "Reinaldo, cai fora que nós vamos desencadear

---

[12] Setembro Negro é o nome dado a um período que se estende de setembro de 1970 a julho de 1971, iniciado quando o exército da Jordânia entrou em confronto com as organizações guerrilheiras da OLP, então baseadas na Jordânia, visando a expulsá-las do país.
O nome foi apropriado por uma suposta ação da esquerda, que faria um atentado em 7 de setembro de 74. Era comum a Polícia infiltrar alguém em grupos organizados. Claudio foi escalado para este. (Nota da autora)

a operação". Nós desencadeamos a operação e descobrimos que o Setembro Negro era todo mundo da direita. Não era a esquerda. Era a direita. Eles iam fazer uma lenha (*por questão de rivalidades internas, fazer uma queima – iam matá-lo*). Estavam treinando no campo da brigada [de paraquedistas]. Depois eles me jogaram numa e fui condenado a dois anos por contrabando, por causa dessas armas.

— *Nós falamos na integração entre os órgãos e você contou essa história comprida para me demonstrar que não existia unidade entre eles. Pelo contrário. Apenas o CISA e o SNI estavam afinados... Por que você me falou disso? Todo mundo seguia todo mundo? Ou cada órgão tinha uma organização na mira?*

— O Perdigão tinha do lado dele o comandante Vieira, que era do Cenimar[13]. E ele era o único cara do SNI que tinha trânsito com todos os órgãos. Em toda a comunidade. Daí o poder dele de persuasão e de conseguir as coisas.

— *Quem comandava o SNI era sempre um general. Como o Perdigão entrava nesse organograma?*

---

13 CENIMAR é um órgão da Marinha do Brasil que tinha o objetivo de obter informações de interesse para o Estado durante a Ditadura Militar. Teve a sua origem no Serviço Secreto da Marinha, criado pelo Ministro da Marinha, em 20 de novembro de 1947. Pelo Aviso nº 2868, de 5 de setembro de 1955, passou a integrar a estrutura organizacional do Estado-Maior da Armada sob a denominação de Serviço de Informações da Marinha. Durante a ditadura civil-militar, notadamente a partir de 1968, o órgão passou a ser empregado na repressão à luta armada, organizações que resistiram com ações armadas ao arbítrio da ditadura. Passou a subordinar-se ao Ministro da Marinha e foi considerado como o mais eficiente órgão de informação militar, dentre outros similares como o DOI-CODI, do Exército, e o CISA, da FAB, que atuavam com os mesmos propósitos. <https://www.ufmg.br/brasildoc/temas/2-orgaos-de-informacao-e-repressao-da-ditadura/>
Ver: GASPARI Elio, A ditadura Escancarada, 1ª Ed. SãoPaulo: Companhia das Letras, 2002
JOFFILY, Mariana. No centro da engrenagem; os interrogatórios na Operação Bandeirante e no DOI de São Paulo (1969-1975). São Paulo: EDUSP, 2013;
GODOY, Marcelo. A casa da vovó; uma biografia do DOI-CODI (1969-1991), o centro de sequestro, tortura e morte da ditadura militar. São Paulo: Alameda, 2014.

— No Rio existia a agência do SNI, que era no prédio da Petrobras.

— *Mas eu preciso entender isso direitinho. Era no prédio da Petrobras ou dentro da Petrobras? Porque tem diferença.*

— Era ali perto da Rua da Assembleia, naquele prédio mesmo da Petrobras, no centro do Rio. Dentro [da sede].

— *Dentro? Então o presidente da Petrobras tinha conhecimento de que lá funcionava tudo isso?*

— Sim. Tinha. Todos sabiam. A agência do SNI.

— *E o escritório? Ficava onde? Porque tinha a agência e o escritório.*

— O escritório funcionava no prédio do DNER, na [avenida] Presidente Vargas. Não era todo lugar que tinha agência. Onde tinha DOI–CODI, tinha agência, mas quando não tinha funcionava nos lugares onde ficavam as Procuradorias da República, como lugar de encontro do SNI. O escritório do SNI, que era chefiado pelo dr. Flávio [coronel Freddie Perdigão Pereira – Chefe do DOI (Departamento de Operações de Informação – subordinado ao CIE)] Perdigão, era no prédio do DNER, na Av. Presidente Vargas. E nos anos [19]80, quem estava como chefe da agência era o Malhães[14], que era o dr. Pablo.

---

[14] Paulo Malhães, tenente-coronel reformado, foi agente do Centro de Informações do Exército (CIE) durante a Ditadura Militar. Foi integrante também do Movimento Anticomunista (MAC). Em depoimento à Comissão Nacional da Verdade (CNV), no dia 25 de março de 2014, Malhães admitiu envolvimento em torturas, mortes e ocultação de corpos de vítimas da ditadura. E deu detalhes de como funcionava a chamada Casa da Morte, em Petrópolis (RJ), um centro clandestino de torturas onde foram mortas cerca de 20 pessoas. Disse, ainda, que não se arrependia de nada: "Eu cumpri o meu dever. Não me arrependo". Uma semana antes de depor, Malhães havia dito ao jornal "O Dia" que participou da ocultação de cadáver do deputado federal Rubens Paiva, mas desmentiu no testemunho à CNV.
Um mês depois de depor à comissão, Malhães foi encontrado morto. Segundo a polícia, no dia 24 de abril três homens invadiram a casa do militar, amarraram sua esposa e o caseiro, e procuraram armas. As primeiras suspeitas da morte foram

— *Por que o Malhães montou a casa em Petrópolis?*
— Não sei. Não sei se houve alguma conivência... Você vê... Você conhece a casa lá? É um lugar que não é possível que a vizinhança nunca suspeitasse. Embora eram (sic) feitas festas lá, para que o pessoal pensasse que era uma festa. E quando chegava ...
— *Eram feitas festas mesmo com os presos lá dentro?*
— Eu sei de ouvir dizer. Eu nunca entrei na Casa da Morte. Eu ia na chegada, para apanhar alguns corpos lá, para levar para serem incinerados em Campos.
— *Esse é um ponto que todos contestam. Eu leio e releio o seu livro e vejo que você detalha bastante esta história. De onde vêm essas informações?*
— Deixa contestar, é a realidade. Vem de fatos. O Vavá está vivo. Eu te contei o caso do Odilon. Tem um...
— *Quando começou de fato o funcionamento da Casa da morte? Fala-se de 1972 a 1974, mas tem um rapaz que foi preso junto com o Fernando Santa Cruz, em fevereiro de 1974. Foi o Eduardo Collier Filho. O que você tem a dizer sobre eles? Quando foi que você pegou o Fernando Santa Cruz, lá?*
— De 1973 a 1975.
— *Ele foi morto em 1974. Ele foi preso em 22 de fevereiro de 1974. E o que você sabe sobre eles?*
— Era ele e uma outra pessoa, Eduardo Collier Filho. Ambos jovens... Com aparência de... Mais ou menos 30 anos

---

de queima de arquivo, de que Malhães teria sido assassinado por asfixia. A CNV e a ONU pediram a investigação imediata do caso. Dias depois, a polícia afirmou que o caseiro Rogério Pires planejou a invasão à casa de Malhães com dois irmãos. No entanto, no dia 6 de maio, o caseiro negou ter participado do crime à Comissão de Direitos Humanos do Senado e à Comissão Estadual da Verdade do Rio. No atestado de óbito de Malhães, consta como causa da morte edema pulmonar, isquemia de miocárdio e miocardiopatia hipertrófica.

e tinha sinais de... Como se houvessem arrancado parte de sua barba, na tortura. Ambos possuíam marcas de queimadura pelo corpo, e fratura exposta no braço.

— *E em que condições você os pegou? À noite? Você sempre fazia isso à noite?*

— À noite.

A gente fazia isto à noite, ia até Campos...

— *Eles os entregavam como? Enrolados*

— Ensacados.

— *Mas como você pode descrevê-los, via os corpos?*

— Eu olhava quando recebia.

— *Mas os sacos não eram lacrados?*

— Não... Quando ia jogar lá para cremar a gente abria e olhava.

— *Por que você olhava?*

— Sei lá. Tinha que fazer, sei lá. Todos eles nós olhamos. Até um, que aconteceu...

— *Mas era uma curiosidade mórbida, você queria guardar isso para contar a história?*

— Não sei. Talvez até inconsciente. Mas não só eu. Tanto a gente abria e olhava... Teve um caso que depois eu fiquei sabendo que eram marido e mulher, este caso marcou, porque o carro pegou fogo, nós trocamos de carro, e você vê que isto é fácil de verificar. É só puxar. Não levantaram isto até hoje. A usina me deu um Opala novo.

— *Isso aconteceu quando? Não houve registro policial?*

— Foi na chegada de Campos. Naquela reta. Naquela época não se fazia isto. O carro foi rebocado para a usina.

— *Mas quem rebocou?*

— Na época foi o Vavá, o Zé Crente [*funcionários da Usina Cambahyba*] que providenciava. Dali ele foi para a agência...

— *Mas que tipo de reboque foi usado?*
— Foi carro mesmo da usina.
— *Mas como não houve registro?*
— Não, mas é só ver na agência da Chevrolet. Esse carro era um Chevette, que deve ter sido dado como entrada, porque eu não sei como é feito isto, e me deram o carro.
— *Em que ano foi isso? Você está me dizendo que foi o casal, então foram a Ana Rosa Kucinski Silva e o marido, que se chamava Wilson Silva. Deixa ver o ano aqui nas minhas fichas... Ela desapareceu no dia 22 de abril de 1974. Mas será que eles lá na agência têm esses livros?*
— Devem ter.
— *E era chapa fria?*
— Não. O Chevette estava no meu nome e o Opala saiu no meu nome, o Opala: Claudio Antônio Guerra.
— *Então tem que estar registrado, no mínimo, no Detran...*
— Eu não lembro se eu emplaquei o carro lá ou aqui. Não lembro, mas foi a agência de lá. (Logo após a entrevista eu liguei para as agências de venda de automóveis em Campos. Duas delas eram novas, abertas depois do episódio. Na mais antiga, da Chevrolet, que já funcionava na época, o gerente desconversou, demonstrou nervosismo, e disse que todo o seu arquivo tinha sido jogado fora, para desocupar espaço. Em seguida desligou a ligação).
— *Vamos avançar aqui...*
— São 18h05...
— *Eu só queria terminar de falar sobre a estrutura da máquina. Quem atuava dentro do DOI-CODI, era só a PE e os recrutados pelo chefe do DOI-CODI ou tinha também o CIE?*
— Lá dentro tinha o pessoal do Exército...

— Não, mas pessoal do Exército é muito vago. Quem é o pessoal do Exército?

— Eu não vou lembrar todos os nomes...

— Não precisa nome. Claro que se tiver eu vou agradecer, mas o que eu quero saber é se tinha só Polícia do Exército e CIE, ou tinha mais gente.

— Não. Tinha policiais civis também. Tinha...

— Como eram selecionados esses civis?

— Ali a Secretaria colocava à disposição. Isto você vai encontrar em documentos.

— Nós temos uma lista de 411 nomes de pessoas cedidas da Secretaria de Segurança. Seriam esses? Tem homens e mulheres. Tinha mulheres também?

— O Estadão de São Paulo [jornal O Estado de S. Paulo], quando nós fomos lá explodir, tinha uma agente, de nome Tânia. Ela que foi comigo, quando nós fomos lá explodir

— Mas era só a Tânia ou tinha várias?

— Não. Tinham outras. A maioria usava codinomes, de forma que eu não sei.

— Que tipo de mulher e para que ação?

— Mais era campana, para poder não atrair a atenção. Punham num lugar para fazer levantamento e era tranquilo. Naquela época mulher não atuava como é hoje, que elas estão em todas as profissões. A mulher naquela época era dona de casa, não chamava a atenção.

— Você era sócio do Augusto e da Jussara Calmon na sauna do Angu do Gomes?

— Era. Isto está no meu livro.

— E a Jussara não fala sobre isso?

— Não. Ela processou os autores do livro. Quando ela se viu apertada, porque eu confirmei que ela foi e que há poucos anos ela mandou um documento para mim querendo passar a firma só para o meu nome porque ela estava sendo prejudicada com o CPF dela, que ela mora no exterior. Mora na Noruega. Eu então juntei este documento ao processo deles.

— *Você tem uma cópia? Pode me dar?*

— Ahn...

— *Você disse que o DOI era composto por policiais da PE, policiais civis, militares de todas as armas, mas a chefia era sempre do Exército. Militares de todas as armas incluindo...*

— Exército, Marinha e Aeronáutica. Fuzileiros navais e paraquedistas, que foram muito usados para operações de estouro de aparelho. Isto porque eram linha de frente.

— *Ótimo. Então eu quero saber quais eram as tarefas e quem ficava com o quê. Essas mulheres eram recrutadas onde? Eram policiais? Já tinha policial mulher, na época?*

— Tinha. Não militar, mas civil tinha. E tinha mulher também recrutada de outros órgãos.

— *Nessa lista que nós temos, aparecem, no recrutamento, mulheres de vários ministérios. Da Educação, da Fazenda... Para que você acha que era esse recrutamento? Para o SNI ou para o DOI-CODI?*

— Não. Aí era para o SNI. Essas abordagens toda (sic) elas faziam.

— *Mas o DOI-CODI não era subordinado ao SNI*

— Legalmente sim. No papel. O Perdigão era subordinado à agência [do SNI], mas não dava bola para a agência. Falava direto com Brasília.

— *No papel era, mas na prática não era, é isso? E como coordenavam esse povo todo, de várias armas, e em que tarefas? Por exemplo, o CISA estourava aparelhos? Era essa a função? Eles estouravam e os sobreviventes eles levavam para o DOI-CODI? Ou levavam para o Galeão, ou a Zona Aérea?*

— Era distribuído. Eles não levavam para um lugar só não.

— *Por quê?*

— O cara que fazia a operação se sentia dono da operação. Era tudo do mesmo jeito, estou te falando, nem a direita venceu, nem a esquerda venceu... Porque não tinha uma ideologia. Cada um lutava por um lado.

— *Não dá para você falar disso?*

— Não... Isso aí... Não sei...

— *O CIE[15]? Ficava mais a cargo do quê? Levantamento?*

— Sim. Levantamento. Mais envolvimento de militares com a subversão...

---

[15] Centro de Informações do Exército (CIE) - Foi um Serviço de Inteligência do governo brasileiro durante o regime militar, criado por meio do Decreto nº 60.664, de 2 de maio de 1967. Foi o órgão a propor a maior quantidade de censuras a material considerado subversivo pela ditadura e responsável por grande parte da estrutura da máquina de repressão do governo, tendo torturado centenas de cidadãos brasileiros. Antes mesmo de se tornar presidente, o Marechal Costa e Silva clamava a necessidade de se criar um serviço secreto mais agressivo que o Serviço Nacional de Informações. Queria que o novo órgão não se restringisse a coleta de informação, mas tivesse também privilégios de polícia. O novo serviço coexistiria com o SNI e seria estruturado a partir do antigo Serviço de Informações do Exército chamado de 2ª Seção. A criação do CIE foi barrada enquanto durou o governo de Castelo Branco. Mas quando Costa e Silva assumiu a presidência por pressão da linha dura a criação do serviço foi sua prioridade. <https://www.ufmg.br/brasildoc/temas/2-orgaos-de-informacao-e-repressao-da-ditadura/> Ver: GASPARI Elio, A ditadura Escancarada, 1ª Ed. SãoPaulo: Companhia das Letras, 2002; Ver: GODOY Marcelo. A Casa da Vovó – uma biografia do DOI-CODI (1969-1991), o centro de sequestro, tortura e morte da Ditadura Militar: Histórias, Documentos e Depoimentos. 1ª Ed. Editora Alameda São Paulo, 2014 ; JOFFILY, Mariana. No centro do engrenagem; os interrogatórios na Operação Bandeirante e no DOI de São Paulo (1969-1975). São Paulo: EDUSP, 2013;FIGUEIREDO, Lucas. Lugar nenhum; militares e civis na ocultação dos documentos da ditadura. São Paulo: Companhia das Letras, 2015;

— *Mas essa não era a função do SNI?*
— Nada. O CIE fazia isto também. E aí entregava para a chefia do SNI...
— *Perdigão?*
— Não. Ia tudo para Brasília. A gente não entende. Por que é que as Forças Armadas não chegam e confessam o que fizeram e acabam com esse negócio? Se assumisse acabava com esse negócio. Houve excesso? Houve. Dos dois lados. Eu estava falando com uma colega sua de Brasília, outro dia. O [general Humberto de Alencar] Castelo Branco [primeiro presidente da ditadura] era um cara correto. Ele ia... Ele era um cara que ia voltar o país para a democracia.
— *Ele logo criou aquele comando supremo, torturou, matou igualzinho aos demais...*
— O cara que mais matou foi o Garrastazu... Por que nunca se investigou o acidente que matou o Castelo? Um avião bater lá em cima... Eu acho que ele ia fazer a abertura, sim.
— *Escuta, não vamos discutir ideologia. Temos muito trabalho pela frente. O CIE fazia levantamentos, o CISA cuidava de estouro de aparelhos, e o Cenimar?*
— O Cenimar funcionou muito... Vou te contar. Não tem muito como especificar.
Todo mundo fazia a mesma coisa.
— *E o que é a mesma coisa?*
— A comunidade de informação não deu certo por isto. O SNI foi criado para ser isto aí: coordenar. Só que não tinha como. Não teve pulso. E os coronéis gostaram do poder. Não obedeciam mais. Tinham a tropa na mão, o presidente tinha medo. A realidade é esta aí. Quem tinha o poder eram os comandantes de batalhões e acabou.

— *O Cenimar jogou mesmo gente lá de cima?*
— Levou gente para o alto mar...
— *Quem você acha que tem possibilidade de falar?*
— O médico fala... (Procurado, o médico - não tenho mais o nome dele anotado - não tinha condições de falar. Deu mostras de perturbação, estuda disco voadores, tem uma seita, não tem um discurso linear...)
— *E o Guarany[16], você acha que consegue dobrá-lo?*
— Ele não. Ele está com raiva de mim.
— *E quem mais atuou nisso?*
— Você já conhece todos: o Rosário, o Guarany... Tem um parente do Rosário que montava as bombas. O procurador localizou?
— *Não sei. E o francês, que era o armeiro do Perdigão, o Pierre?*
— Na verdade, ele era o armeiro de todo mundo... Mas você está vendo, eu mudei mesmo e perdi o contato com todo mundo. Cortei o cordão com todos. Eu fui ver o Manuel [motorista que guiava o carro até Cambahyba] depois de trinta e tantos anos.

---

[16] "Depois de dois anos de busca de pistas que levassem à identificação dos autores, em coletiva de imprensa realizada em 11 de setembro de 2015, a Comissão da Verdade do Rio apresentou um dossiê, reunindo documentos comprobatórios de que o atentado contra a OAB foi obra de um grupo de oficiais ligados ao Centro de Informação do Exército (CIE). A Investigação da CEV-Rio indicou quatro testemunhas que caracterizaram a autoria do fato. Uma ocular, que se denominou testemunha "X", atendendo ao pedido de sigilo de sua identidade, a qual reconheceu a pessoa que levou a bomba à OAB, e três agentes vinculados à estrutura repressiva da ditadura. A partir dos depoimentos coletados foi possível afirmar que o sargento Magno Cantarino Motta, paraquedista do Exército, foi quem entregou pessoalmente a carta com o artefato que vitimou D. Lyda Monteiro. Na condição de agente da repressão vinculado ao CIE, Magno adotou o codinome de "Guarany". Obs: Trecho retirado do Relatório Final da Comissão da Verdade do Rio, p.: 232 e 233 – ano: 2015
Ver : GASPARI Elio, A Ditadura Acabada, 1ª Ed. Intrínseca, Rio de janeiro, 2016, p. 203.
Ver : <https://jornalggn.com.br/ditadura/o-agente-guarany-e-a-bomba-na-oab-por-marcelo-auler/>

— *Ele está meio à deriva, não está?*

— Ele é meio infantil. Algumas coisas que ele fala têm fundamento. Por exemplo, quando nós fomos lá, obedecendo às ordens do Perdigão, vingar a morte do irmão do João [João Bala, filho do fazendeiro de Campos], quem fez a campana foi ele. Eu não lembrava que era ele. Ele que me falou.

— *Olha, amanhã nós vamos ver Riocentro, e você vai marcar no meu livro todos os mortos que se lembrar das circunstâncias da morte. Enfim, você está cheio de dever para casa. Anota, por favor, as informações complementares ao que está no livro. É fundamental você tentar lembrar o que aconteceu com os corpos. Você via o rosto deles?*

— Não lembro... Veja bem, São Paulo... Eu me arrisquei e fui ao encontro de algumas pessoas. Estive com uma pessoa. Primeiro dia, arma na perna, coisa e tal. A Comissão Nacional da Verdade (CNV) fez de tudo para localizar. Eu cheguei lá, com um dia, localizei tudo através de um advogado... Fomos até almoçar lá. Escritório grande... Começamos a conversar. Eu disse para ele que estava ali com a finalidade de buscar a verdade. Você não vai aparecer, mas você sabe que tem algumas coisas que você pode ajudar, do desaparecimento das pessoas. Ele disse que tinha alguns documentos. Marcamos. No outro encontro ele já não tinha mais documento algum. Ele disse: "Documento não tenho, mas vou te falar o que aconteceu. Até uma determinada data os corpos eram levados para aquele cemitério conhecido".

— *Perus?*

— Perus. Aí... a comunidade de informação... Não, ele fala "Exército". O Exército chegou à conclusão, como estava caminhando para a abertura, que ia dar problema. Aí pensaram em fazer no crematório. Só que o crematório ia ser lá em Perus. Depois eu pesquisei e era verdade. Os caras chegaram à conclusão que ia chamar a atenção do mesmo jeito. Então (o crematório) não foi feito lá onde é hoje, que eu esqueci o nome. Foi feito em outro lugar. E a partir desta data foram tiradas as ossadas antigas e todos que morreram a partir daí foram direto para lá.

— *Para o crematório?*

— Sim. Para o crematório. "Mas o que eu tenho para que você me comprove isto?" Ele disse: "Olha, tem o funcionário fulano. Se souber chegar nele, eles estão aposentados, eles vão falar". Aí fui lá na Comissão, passei para eles. Olha, tem dois caras, assim, assim. Em vez de eles irem lá conversar com os caras, chamaram eles para uma audiência pública. Hahaha. Já era... Embora o Ivo, este que falou comigo reservadamente, disse que falaria com eles. Só que eu não sei se falou. Quer dizer, perderam uma chance de chegar. É o tal negócio. Todos me falam que vai ter sempre a dúvida porque o corpo foi cremado, não apareceu o corpo. Mas é a verdade, uai. Vai ficar contra a verdade?

— *Eu sei que você precisa sair, mas eu preciso mostrar no livro o Fernando Santa Cruz e o Eduardo Collier, para você. Olha bem. Veja se reconhece.*

— São esses. Deste aqui eu me lembro mais [apontando para Fernando Santa Cruz].

— *Este é o que você diz que tinha falha na barba? Olha bem.*

— É isto mesmo. Eu reconheço os dois. Este é o que estava com a barba arrancada. Mas eu vou fazer os papéis com as anotações, como você falou.

— *Espera. Vamos ver a Ana Rosa. Você nunca tinha visto foto deles?*
— Vi sim.
— *E esse aqui? [Davi Capistrano].*
— Este eu me lembro bem dele. Mais idoso...
— *Você disse que a mão dele estava cortada. É este?*
— Eu tenho anotado todos os dados. O Merival, falam que ele foi esquartejado. Isso é de ouvir dizer. Não foi verdade. O Capistrano tinha o braço decepado. E se não me falha a memória, era o braço direito. Ele estava na Casa da Morte.
— *Com certeza?*
— Este com certeza. E tem um depoimento do Lobo (o médico Amilcar Lobo).
— *Olhe para a Ana Rosa. Este era o marido dela. Este era o casal que você levou para lá?*
— Era. Esse foi o casal daquele episódio que o carro pegou fogo.
— *E como ficaram os corpos? Semicarbonizados?*
— Não. Eu tirei a tempo. O carro pegou fogo na frente. Ela tinha sido violentada...
— *Mas dava para ver esses detalhes?*
— Ela estava nua.
— *Mas o que foi que chamou a sua atenção para isto?*
— Ela estava cheia de sangue na região genital. Eu conversei com o irmão dela lá em São Paulo. [*A voz dele se torna quase inaudível. E dá para ver que está visivelmente emocionado.*]
— *Então, estamos combinados. Você olha bem para eles e amanhã me dê o maior número possível de detalhes de tudo o que você lembrar sobre eles.*

Segunda Conversa
26 de fevereiro de 2014

— *Riocentro e OAB. Eu gostaria que você me contasse qual foi a dinâmica desse atentado. Como foi montada esta ação?*

— O planejamento ficou a cargo do SNI. Eu particularmente participava das ações.

— *Mas houve, em algum momento, uma reunião com todos que iriam participar?*

— Não. Quando eu fui chamado pelo coronel [Freddie Perdigão] no escritório do SNI, no prédio do DNER, ele me disse: "Olha, vai ter um atentado no Riocentro que nós vamos fazer parecer que foi a esquerda e os 'melancias' [militares que optaram pela oposição à ditadura]. Nós vamos para lá. Vai acontecer um fato e, em seguida, você vai prender as pessoas que eu indicar". Nessa época eu estava com designação para o DGIE [Departamento Geral de Investigações Especiais, do Rio de Janeiro]. Eu era delegado aqui [em Vitória], mas com carteira do DGIE de lá.

— *Quem deu a ordem a você foi o Perdigão?*

— O coronel Perdigão. Eu era chefe de equipe. Existiam duas equipes, mas elas não sabiam que eu existia. Cada equipe recebia as orientações de maneira compartimentada, porque se desse errado, ninguém poderia contar a história completa. A orientação só vai para o responsável por aquela ação. Por isto que tem fatos aí que foram plantados, que foi uma pessoa que executou, e não se chega ao final das apurações. Não chega ao autor. Era a maneira de se manter a segurança da informação. E não estou falando isto para me defender não. É porque eu não sei mesmo.

— *Como foi a execução, no dia?*

— Teve uma parada, indo para o Riocentro... Eu não conhecia a outra equipe, nem sabia que estávamos indo todos para o mesmo lugar, mas vi que era gente nossa. Naquele restaurante, o Cabana da Serra, indo para o Riocentro. Eu conhecia os caras. Eles pararam ali. Naquela época não existia celular, mas nós falávamos pelo rádio. "Coronel, tem um pessoal parado, assim, assim." Ele respondeu: "Não te mete nisso. Vá para a sua missão". Eu fui embora. A minha missão era prender as pessoas que ele, Perdigão, me indicaria no final.

— *Ele pessoalmente iria apontar: "Foi ele e foi ele"? Ia escolher aleatoriamente?*

— Não, não. Eu, no meu entender... ele tinha uma relação de pessoas remanescentes da facção que já havia sido pichada nas placas no entorno do Riocentro. Na época que eu fiz o livro os autores me questionaram: "Mas já estavam todos mortos, na VPR[17]..." Não.

---

[17] Vanguarda Popular Revolucionária (VPR) — Organização político-militar criada em 1968 por dissidentes da Política Operária (Polop) e ex-integrantes do Movimento Nacionalista Revolucionário (MNR), em sua maioria estudantes e ex-militares. Seu objetivo era lutar contra o regime militar instalado no Brasil em abril de 1964, após a derrubada do governo constitucional de João Goulart. Seu principal líder foi o capitão Carlos Lamarca. A VPR se organizou a partir do desmantelamento da chamada Guerrilha de Caparaó, conduzida pelo MNR, e como resultado do trabalho desenvolvido junto aos sindicatos operários paulistas durante a greve dos metalúrgicos de Osasco em 1968. Além do trabalho sindical, a VPR desenvolveu ações militares, sendo que uma das mais espetaculares foi aquela em que o capitão do Exército Carlos Lamarca, em janeiro de 1969, passou para a clandestinidade levando 63 fuzis FAL e dez metralhadoras Ina e munição do quartel do 4º Regimento de Infantaria, em Quitaúna, São Paulo. <http://www.fgv.br/Cpdoc/Acervo/dicionarios/verbete-tematico/vanguarda-popular-revolucionaria-vpr> Ver: GORENDER Jacob. Combate nas Trevas, 5ª Ed. Editora Ática. 1998

— *E existiam, de fato, remanescentes?*
— Existiam.
— *E você sabia quais eram?*
— Não, mas o Perdigão ia me passar os nomes para eu prender.
— *E você ia prender no local?*
— É. Os caras estão negando. Não tem. O Ricardo Will é um que nega. Ele era policial civil do Rio. Eu não era. Mas ele nega. O Paladino, também policial do Rio... [Conta caso sobre atividades do Ricardo de usar as pessoas e depois matá-las como queima de arquivo]. Eu o mencionei no livro e ele não gostou e saiu dizendo que eu já estava "fedendo" ("Feder" significa ameaçar de morte].
— *E o que aconteceu lá, no local? O que você viu?*
— Depois que eu desci a Serra e fui para o Riocentro, teve mesmo aquele fato que o jornalista narrou. Teve duas explosões mesmo. Tinha uma bomba na casa de força, e a que explodiu no carro.
— *E tinha uma no palco?*
— Não. Isto aí eu soube posteriormente, que a bomba que eles estavam manuseando era para ser colocada atrás do palco, onde ficavam os artistas. Eles estavam montando as espoletas para levar para o palco. Foi quando houve o acidente. Depois, em conversa, o Perdigão, que tinha inteira confiança em mim, era um cara que viajava junto comigo, vinha para cá, a gente fazia churrascos... Ele tinha inteira confiança. Tanto que eu nunca o traí. Eu mudei, é diferente. Eu resolvi falar a minha verdade. Não é autodefesa. Eu soube, depois dos comentários, do que era para ter acontecido.

— *Teria outra bomba na saída?*

— Depois eu fiquei sabendo que se estourasse a do palco as pessoas iriam correr e haveria um tumulto. A mulher que era chefe do Riocentro [Ângela Capobianco], sabia do que haveria. Ela era administradora, e por que deixou as portas trancadas? Só duas estavam abertas. Isto era para que as pessoas buscassem saídas e, sem conseguir sair, se pisoteariam (sic).

— *Você acha que ela era do esquema? Você ouviu dizer, ou você sabe?*

— Não. Eu não posso garantir. Os comentários eram que ela pertencia. Eu não posso garantir nem dizer o que eu não posso garantir. Ela trocou os seguranças, tinha um poder medonho... Eu estou achando muito boa a investigação, mas tem coisas como a dessa mulher que eu não entendi: por que a deixaram de lado?

— *O Emanuel [parceiro e motorista de Claudio nas viagens a Cambahyba] participou do Riocentro?*

— Nessa época ele estava no Rio.

— *Não. Eu quero saber se ele participou.*

— Ele sempre dirigia para mim.

— *Não foi isso que eu perguntei. Perguntei se ele estava lá.*

— Ele estava lá. Eu creio que era ele que estava dirigindo... Era ele, sim.

— *Ele era seu motorista?*

— Era.

— *E você chegou lá a que horas? Quando explodiu a bomba você estava lá?*

— Já me perguntaram isto. Eu sei que eu cheguei lá já era noite. Eu sei a hora porque eu li a respeito. Podia falar que foi tal hora, mas não vou falar porque eu não me lembro. Quando ocorreu a coisa o coronel mandou recolher todas as equipes. Cada um foi para o seu lado.

— *E você foi para onde?*

— Eu fui primeiro... Paramos para tomar uma cerveja. Eu e a minha equipe. Já foi indo para o centro. Eu fui para lá formar e me informar.

— *Vocês pararam na Barra?*

— Não. Já foi em Copacabana. No bar de um policial de nome Floriano. Ele era o dono do bar.

— *Onde ficava?*

— Não tem uma rua que tem um monte de casas noturnas?

— *A Prado Júnior?*

— Sim. A Prado Júnior. O bar eu não sei o nome. Acho que era Garganta Profunda... Pertencia ao Floriano, um policial encarregado das prisões de presos comuns, na [rua] Frei Caneca. Era investigador ou detetive, e um dos fundadores da escuderia.

— *Você tem contato com ele?*

— Não, mas ele está vivo. Eu não tenho contato com ele.

— *Quem era a sua equipe? Você, o Emanuel e quem mais?*

— Tinha o Mineiro [Mário Viana Filho]... Ele está negando, mas era ele... Tenente Paulo Jorge e o tenente Jair.

— *O Paulo Jorge é de onde? Daqui?*

— É um PM. Todos dois já morreram. Um morreu como queima de arquivo e o outro tinha ido para o mundo do crime, para a pistolagem. Ele matou um pessoal para uns empresários e foi repicar [cobrar outra vez] e foi morto por eles.

— *E o tenente Jair?*

— Esse foi queima de arquivo. Ele morreu. Ninguém apurou nem nada. Esses dois PMs foram recrutados pelo Perdigão porque eram muito bons de tiro. Eles ficavam na brigada. Quando eu precisava eles saíam comigo para as missões [*assassinatos*].

— *Do bar do Floriano, com toda a sua equipe, você foi para onde?*

— Eu voltei lá para o SNI, para saber quais eram as ordens e se o Perdigão ainda estava no local. Ele coordenou tudo desde o início. Ele sempre foi assim. Não era cara de mandar e esperar. Ele sempre estava nas ações. Daí a certo tempo ele chegou. Como tinha muita gente com ele, nós não nos aproximamos.

— *Ele estava à paisana*

— Sim. Nesta época ele já estava na reserva porque já tinha levado o tiro do [*Fernando*] Gabeira [*hoje se sabe que o tiro não foi dado pelo Gabeira*] e mancava de uma perna. O Gabeira me disse que não foi ele, que foi a mulher dele, mas o Perdigão tinha pavor do Gabeira. A perna dele parecia perna biônica porque eles acertaram a femoral dele. Não morreu porque na hora ia passando um médico que socorreu imediatamente e de forma correta [*hoje se sabe que isso aconteceu na Lagoa Rodrigo de Freitas, durante uma perseguição*].

— *Ele chegou com essa equipe grande, composta de...?*

— Eu creio que só de militares. Porque a equipe civil que eu tenho conhecimento era a nossa. Pode ser que tivesse outra, mas eu não sei.

— *Chegou e falou o quê, com vocês?*

— Não falou nada e nós não nos aproximamos. Ficamos num boteco na esquina, que era logo perto. Quando eu vi que o pessoal ia descendo, eu subi. Ele me chamou. Quando eu entrei ele chamou o coronel Machado [Wilson Machado, que estava a bordo do Puma onde a bomba explodiu] de burro. "Rapaz, por isso que eu estou usando mais vocês nas operações que eu estou fazendo. Esses caras só fizeram coisa errada até agora", falou para mim.

— *Ele estava possesso? Estava no gabinete?*

— Sim, eu tinha acesso ao gabinete dele. Ele disse que a burrice dele tinha matado um dos maiores especialistas em bomba que ele tinha, que era o Rosário.

— *Ele lamentou a perda do Rosário como pessoa ou como autor de bombas?*

— Não. Ele gostava do Rosário. Eu não posso crucificar o cara. O cara era um cara bom... Quer dizer, bom, era fiel aos amigos.

— *O que ele disse que faria, depois daquilo?*

— Ele me disse que não usaria mais nenhum militar para nenhuma operação. A partir daí eu tive uma ascensão. Passei a ter mais privilégios, passei a coordenar algumas coisas.

— *E que erros foram esses?*

— Ele apontava esse erro do Riocentro, o aparecimento do corpo do Baumgarten e a explosão da bomba na OAB[18]. Ele disse que os caras estavam expondo todo o sistema.

— *E por que ele comentou isso com você?*

— Porque realmente a gente procurava fazer tudo da melhor maneira possível e sempre com cautela de não ter efeitos colaterais, de não ter vítimas.

— *Mas no Riocentro o objetivo era que tivessem muitas vítimas, porque estavam lá 20 mil pessoas...*

---

[18] Ver: <https://jornalggn.com.br/ditadura/o-agente-guarany-e-a-bomba-na-oab-por-marcelo-auler/>; ver: GASPARI, Elio. A Ditadura Acabada. 1ª ed. – Rio de Janeiro: Intrínseca, 2016, p.203.

— Eu não era encarregado disso. Ali as vítimas não seriam pela explosão, e sim pelo atropelo na busca pela saída. O que eu sei pelos comentários dentro da comunidade de informação é que tinha lugares lá que davam saída, mas estavam trancados. E não tinha nenhum policiamento lá, porque o Cerqueira mandou tirar todo o policiamento lá (Coronel Nilton Cerqueira, comandante da Polícia Militar, na época do atentado ao Riocentro).

— *E o Guarany estava lá por quê?*

— Sobre isso o Guarany sabe pouco, porque era um subalterno, estava lá também cumprindo missão. Ele sabe das coisas que ele fez, como da bomba da OAB. Sobre isso ele sabe bem. Ele podia esclarecer...

— *Depois que o Perdigão disse que não faria mais nada com os militares ele delegou a você mais poder. Você saiu de lá junto com ele?*

— Não nesta época...

— *Ele saiu de lá com quem? Fez ligação para alguém?*

— Eu vi que ele estava falando com Brasília.

— *Você sabe com quem ele falou?*

— Não. Só sei que era Brasília.

— *Qual foi a participação do Malhães no Riocentro?*

— O Malhães era o chefe da agência do SNI. Então ele estava com o Perdigão.

— *Ele foi ao local? Estava ciente de tudo?*

— Com certeza. Eu não o vi lá. Pode ser que tenha ido, mas eu não vi. Os dois eram da mesma arma, vieram de cavalaria... Mas o mentor foi o coronel Perdigão

— *Pelo que eu sei, o Malhães era um cara bronco. Como que ele tinha essa posição?*

— O Perdigão era inteligente, foi para o exterior... Esteve na América... Já o Malhães não fez não. Ele esteve no Araguaia. Ele fez o curso das Américas[19], mas não foi para a América mesmo. Outros foram para a Inglaterra. Acho que ele foi um deles.

— Uma das apostilas inglesas que era usada nos cursos do SNI diz que o cara cooptado para esse serviço deveria ter um problema com a família. Não podia ser uma pessoa equilibrada, com a família bem constituída. Isso é verdade?

— Sim. Veja o meu caso. Eu não tinha apego a nada. Por isto o DEA quis me levar. Tanto que o Joe, o Joe Bueno, que era da equipe do Fleury, depois ficou comigo... Ele está vivo e está com raiva de mim porque eu disse que no sítio dele tem uns presuntos.

— E tem mesmo?

— Ele comentava que ele tinha plantado um cara da esquerda lá. Tinha também no Fleury, mas o Fleury tinha esgotado lá e tinha levado para o sítio dele. Só que eu não sei onde é o sítio dele. Eu passei isso para o pessoal da Federal para investigar, ir lá. Eu sei que ele ficou sabendo que saiu no livro. Foram entrevistá-lo. E aí ele comentou que poderia falar que "o Guerra era um dos maiores policiais do país, mas ele está

---

[19] Escola de treinamento do Exército dos Estados Unidos — Foi fundada em 1946, no Panamá no início da Guerra Fria, com a finalidade de formar militares da América Latina e do Caribe na doutrina da segurança nacional — cujos desdobramentos militares incluíam os métodos de contrainformação, interrogatório (com métodos de tortura e execução sumária), guerra psicológica, inteligência militar e ação de contra-insurreição. O manual de contrainteligência da escola definia como inimigos os que "pertencessem a organizações sindicais", "distribuíssem propaganda a favor dos trabalhadores ou de seus interesses", "simpatizassem com manifestações ou greves" ou ainda fizessem "acusações sobre o fracasso do governo em solucionar as necessidades básicas do povo". Os Estados Unidos se valiam do controle de parte do território panamenho pelos Tratados do Canal do Panamá para desenvolver cursos que formaram várias gerações de militares do continente. Ver mais em: <http://latinoamericana.wiki.br/verbetes/e/escola-das-americas>

doido". E não falou nada. Aí eu pedi agora, quando eu estive lá em São Paulo, procurando umas pessoas para ajudar a Comissão, para a gente fazer as pazes. Não tem o Bacury? Ele que pegou o Bacury. Ele era boxeador. Ele deu um direto no Bacury que o cara apagou, na porta do cinema, na Cinelândia. Ali ele e o Fleury pegaram, levaram e mataram ele.

— *Mataram onde?*

— Ele foi pego no Rio. Andaram com ele pelos DOI-CODIS, depois levaram ele para uma unidade do Exército. Quem estava com ele eram o Fleury e o Joe. Eles tinham que apanhar ele em surdina. Ele deu o soco e levaram para o DOI de São Paulo. Dali foi para uma unidade militar, em Santos. Depois o levaram para uma rodovia que eu não sei qual e executaram ele com dezenas de tiros.

— *Ele não estava na Oban[20]?*

—Não...

— *E conseguimos falar com o Joe?*

— Acho que sim. Ele é juiz de boxe. Há pouco tempo eu o vi no Fantástico, dando uma entrevista como mentor do Maguila[21].

---

[20] Operação Bandeirantes (Oban) - Criada em junho de 1969 no âmbito do II Exército (São Paulo), foi uma operação de combate a organizações que faziam oposição política ao regime militar na área da Grande São Paulo. Com o objetivo de identificar, localizar e capturar militantes considerados "subversivos" pelo regime, a Oban era composta por militares do Exército, Marinha e Aeronáutica, policiais federais, agentes do SNI, e policiais da Delegacia de Ordem Pública e Social (DOPS). Oficialmente, sem dotação orçamentária, a Oban recebeu recursos de empresas privadas brasileiras e de multinacionais. Extinta em 1970. <www.arquivonacional.gov.br/br/difusao/...na.../695-operacao-bandeirantes-oban.html>
Ver: GODOY, Marcelo. A Casa da Vovó. - Uma biografia do DOI-CODI (1969-1991), o centro de sequestro, tortura e morte da ditadura militar. 1 ed. São Paulo: Alameda Casa Editorial, 2014.

[21] Maguila Rodrigues. Sergipano de Aracaju, Adilson 'Maguila' Rodrigues nasceu em 12 de junho de 1959. Foi o mais carismático dos pugilistas brasileiros. Pedreiro de ofício, deixou a terra natal para se dedicar ao boxe em São Paulo aos 17 anos. Em 2008 trabalhava como professor de escolinha da modalidade mantida pela prefeitura de São

— *Mas por que falamos do Joe?*
— Porque eu falei do DEA, que tentou me levar. Eu não fui. Ele foi. Toda a equipe do Fleury tornou-se usuária de drogas. Quem não foi para o DEA ficou usuário e desacreditado. O meu compadre, por exemplo, era uma cara de elite, presidente da Associação Brasileira de Investigadores, proeminente na escuderia e na maçonaria. Morreu sozinho, com uma overdose... Igual ao Fininho (Ademar Fininho "Esquadrão da Morte")[22]. Eles foram para lá e usavam o que apreendiam.

— *Voltando para o Riocentro. Você estava no bar, o Perdigão chamou, disse que não ia mais usar militares em missões especiais, e o que mais?*
— Ele ficou me perguntando como que a gente ia consertar aquela m...
— *E o que você respondeu?*
— Eu não tinha que interferir. Ele nessa hora estava chutando porta. Dali eu saí para casa.
— *Ele estava consciente de que tinha criado um problema?*
— Tinha. Ficou perguntando como consertar.
— *O resto da equipe comentou?*
— No dia seguinte, sim, comentamos o que havia acontecido.

Paulo localizada na região da rodovia Raposo Tavares. Em 2011, já longe dos ringues, Maguila admitiu sofrer com os problemas do Mal de Alzheimer e também de diabetes. Fã de Eder Jofre e Cassius Clay, constituiu carreira brilhante, embora muitos a contestem. Em 86 combates venceu 81, sendo 68 por nocaute. Perdeu cinco lutas, quatro por nocaute. <https://terceirotempo.uol.com.br/que-fim-levou/maguila-1348>

[22] Esquadrão da morte é uma esquadra paramilitar armada, que pode ser composta por policiais, insurgentes, terroristas que conduzem execuções, assassinatos e desaparecimentos forçados de pessoas, como parte de uma guerra, campanha de insurgência ou terror. Essas mortes são muitas vezes conduzidas de forma significativa para garantir o sigilo das identidades dos assassinos, de modo a evitar a prestação de contas. No Brasil. Ver mais: <https://noticias.r7.com/prisma/arquivo-vivo/percival-descobri-que-o-esquadrao-da-morte-planejou-meu-assassinato-13042018>

— *Ele fez alguma recomendação sobre silêncio?*

— Nem precisava. A gente sabia. Tanto que muita gente foi escolhida para morrer e eu fiquei aí. Eu era fiel a eles. Acreditava no que estava fazendo.

— *Qual foi o papel do Guarany no Riocentro?*

— Ele pertencia a alguma equipe, mas eu não sei qual que era. Ele está fotografado ali socorrendo. Foi fotografado com a arma, em missão. Eu só não sei qual.

— *O Guarany estava lá no local?*

— Sim. Ele estava no local. Ele era parceiro de andar junto com o Rosário.

— *Você ouviu falar da história do Rosário com a mulher dele? Vocês sabiam da história?*

— Não. Não sei. Só sei que ele deveria falar. Vai lá, com esse seu jeito e veja se ele fala. Ele vai acabar falando... Foi bom aquela testemunha que viu eles manuseando a bomba dentro do carro ter falado. O Barros também. Foi bom.

Muito importante. E o Malhães tinha que falar oficialmente.

— *O Riocentro foi a última ação?*

— Depois disso ainda houve as explosões das bancas de revistas... Teve o Estadão... Aí era a gente fazendo.

— *Voltando para a cadeia de comando do Riocentro, ok? Que o Perdigão e o Malhães foram os idealizadores e organizadores. Porém, acima tinha o Newton Cruz. Você acha que ele participou do planejamento ou só foi avisado?*

— Eu não posso dizer que ele participou do planejamento, mas que ele tinha conhecimento, lá isso tinha.

— *E não foi meia hora antes, como ele quer dar a entender?*

— Não. Ele tinha conhecimento.

— *E acima dele, quem era?*
— Era a presidência da república. Tem um oficial francês [Paul Aussaresses] que fala que o [ex-presidente João] Figueiredo era o chefe do esquadrão (Esquadrão da Morte, denunciado pelo então deputado estadual de São Paulo, Hélio Bicudo). Ele depôs há pouco tempo para uma revista. Ele deu aula no Batalhão de Selva. Eu estive lá. Eu conhecia essas aulas. E esse oficial falou que o Figueiredo era o chefe desse esquadrão.
— *Para implicar o Figueiredo, leia-se também Golbery?*
— Com certeza.
— *Como ele reagiu dizendo que criou um monstro? Você acha que ele realmente disse isso?*
— Eu não creio muito. Ele era um cara de extrema direita mesmo. Ele fez o jogo da América para a abertura? Fez. Mas eu recebi ordem do SNI para colocar grampo no escritório do [Paulo] Maluf [político paulista da Arena, partido do governo durante a ditadura]. O plano era ligar para o Dops e dizer que eu era um cara do MR-8, que tinha colocado uma bomba no escritório dele, mas que estava arrependido porque ia ter muita vítima. Isto era para desacreditar o Tancredo [Neves, político mineiro, candidato indireto à presidência da República no fim da ditadura] e fazer o Maluf presidente. Só que o Maluf ficou assustado, convocou uma coletiva e abriu, dizendo que eram os "arapongas". Estragou com tudo. Isso está nos jornais da época. A ideia era mostrar que a esquerda estava viva. Mas ele [Paulo Maluf ex-governador de São Paulo e ex-deputado federal] foi um burro.
— *Por que você acha que o Golbery planejou tudo?*

— Porque o Golbery queria o Maluf. E ele era o chefe do SNI. Ele não queria a abertura. Ele queria mandar. Os coronéis queriam mandar. Ele queria mandar e os caras tinham as tropas nas mãos e não estavam mais obedecendo. Era uma disputa por poder.

— *Você acha então que todos esses episódios forçaram a abertura, como hoje já se fala? Não foi o plano de abertura do Golbery?*

— Não. Foram os erros cometidos. O nosso povo foi muito manobrado. Na época daquelas mortes (*as mortes e desaparecimentos perpetradas pela ditadura*), você plantava (*quem estivesse por perto ou presenciasse uma execução era "convencido" pelos agentes a contar a versão que eles dessem para o episódio*) uma versão e colava. Eles saíam repetindo. Depois foi ficando mais politizado.

— *Quem era o mentor do Grupo Secreto? Quem fazia aquelas apostilas para a "tigrada" que estava contra a abertura?*

— Eu tenho para mim que era um cara que sabia desenhar muito bem e era um cabeça. Era o comandante Vieira [*segundo Claudio, falecido em 2012*]. Eu, para mim, foi ele. Não posso garantir. Deduzo porque ele era um cara competente. Ele está acusado no caso Baumgarten.

[*Aqui Guerra comenta que o corpo da mulher do Baumgarten está enterrado no município de Magé, no sítio Soberbo. Quem falou foi o Perdigão. Levantar a cadeia dominial do prédio e terreno de um lugar denominado Parque Soberbo, terceiro distrito de Magé, de um lugar denominado Freguesia de Nossa Senhora da Ajuda, em Guapimirim, Rio de Janeiro. Investigar e confirmar se o primeiro proprietário foi Jardel Filho, eventual procurador da República. Era o proprietário do sítio na época do regime militar. E ver quem foi o general de sobrenome Morais, que alugou nos anos 1980, sabendo que lá havia um corpo.]*

— Esse general foi quem permitiu que enterrasse o corpo lá.

— *Voltando ao Riocentro. Quem estava com o Newton Cruz naquele hotel em Copacabana? Era o dr. Luiz? Você o conhece?*

— Eu não sei. Só sei o que saiu na imprensa. [*Pela documentação deixada, o dr. Luiz é o Molina do CIE*].

— *Qual foi o papel do Nilton Cerqueira no Riocentro?*

— Ele era comandante da PM. Foi encarregado de tirar a PM do local. E ele estava em Brasília, no gabinete do Newton Cruz.

— *Você teve conhecimento disso?*

— Tive, através das conversas que mantive com o Perdigão. Depois, naquela conversa em que ele lamentou o erro, ele foi descrevendo: "Veja, o cenário estava todo arrumado, não tinha polícia, tudo limpo, e o cara faz uma m... dessas". Foi assim que eu fiquei sabendo (*que ele estava em Brasília, no gabinete do Newton Cruz*). Ele falava muito do Cerqueira. Dizia: "Ele fica tirando onda que matou o Lamarca. Quem matou o Lamarca foi um cara da PM de Minas e ele fala que foi ele".

— *Por que você acha que justamente nesse dia ele foi para Brasília?*

— Não sei. Pode ser por conta dessa operação. A missão dele ali era só tirar a tropa de lá.

— *Que outros nomes estão envolvidos no Riocentro e que ainda não vieram à baila? Todos já foram citados?*

— Eu acho que sim. Da minha parte eu não conheço mais ninguém.

— *Sobre a encenação que foi feita. O que você tem a dizer?*

— Sempre que tinha algo que recaía sobre alguém ligado ao poder, era desviada a investigação.

— *A Justiça também cooperava?*

— A Justiça Militar e, também, a civil, mais que tudo.

— *A troco de dinheiro ou vantagens?*

— Eram vantagens. Cargos, transferências... E não mudou muito, infelizmente...

— *Se você tivesse que desenhar uma aranha da cadeia de comando do Riocentro, como seria?*

— Primeiro, na cabeça, Golbery. Abaixo dele, Newton Cruz. Abaixo, o Perdigão e o Malhães, na mesma horizontal. Aliás, na cadeia de comando o Malhães era mais que ele, porque o Malhães era da agência, e ele era do escritório. Abaixo deles, o coronel Molina.

— *Mas acima do Golbery tinha o Figueiredo...*

— Tinha.

— *Ele sabia?*

— O Golbery não o deixava sem saber de nada não. Você vê que foi toda desvirtuada, a investigação. E ele ficou quieto.

— *Depois do Molina, quem vem? O Wilson Machado?*

— O Machado era só subordinado. Tanto é que nessas reuniões no Angu do Gomes ele nem ia. Tem o Dr. Ney, que eu estou tentando me lembrar. Vou pegar esse nome para você. Ele estava ligado a todas as operações. E tinha os irmãos Ary, ligados a todas as operações do SNI. Eles que fizeram as negociatas com o Baumgarten. Eles eram do Exército, ficavam lotados em Brasília, mas atuavam no país inteiro. Agora estou me lembrando de uma coisa importante. O Malhães e o coronel Brandt (o hoje coronel reformado José Brant Teixeira), fizeram um arraso no país inteiro com o partidão [Partido Comunista Brasileiro]. No país todo.

— *Por que dizimaram o partidão numa época em que já não havia mais nada, praticamente?*

— Foi numa época em que eles fizeram uma limpa nos arquivos de todo o país. Começaram em [19]76. Eles passavam nos Dops estaduais recolhendo tudo quanto era documento que comprometia. Em todas as áreas de informação. Eu tenho essa data, quer dizer, o ano, mas não estou me lembrando exatamente.

— *Quem coordenou essa limpeza?*

— Foi o Malhães e o coronel Brandt. Fizeram a mesma coisa no Araguaia. Você vai vê-lo no Araguaia, agindo junto com o Brandt para eliminar os vestígios.

— *Eles então fizeram essa limpeza nos arquivos e mais a eliminação do partidão?*

— Sim. Desmantelaram tudo. Fizeram essa operação no país inteiro. Acabou o Araguaia, acabou o inimigo. Aí eles inventaram uma frente nova. Já era no final [da ditadura], próximo a [19]80. Uma operação era limpar os arquivos. A outra era eliminar o partidão. No sul da Bahia mataram um pessoal numa fazenda. E lá, no sul da Bahia eles jogaram o pessoal naquela represa de Lagoinhas. Perto de Juazeiro. Lá que jogaram os cadáveres, segundo comentários dentro da comunidade de informação. O coronel Brandt agiu junto com o Malhães. Os irmãos Ary agiram em outras operações. Quando ficou ruim eles mandaram os dois para fora do país, para embaixadas. O secretário de Segurança era um coronel,

Antônio Bião Martins Luna. Ele dava apoio logístico no estado para esta operação. De [19]70 a [19]80. Estouraram tudo como um rescaldo. Inventou-se um inimigo. Eles tinham que inventar uma justificativa para manter a comunidade funcionando. A tropa em prontidão. Inventaram esse combate, porque já não havia guerrilha urbana, não tinha mais nada.

— *O coronel Ustra agia no Rio?*

— Eu me esqueci de dizer que ele estava no Riocentro. Na mesma horizontal que o Perdigão e o Malhães. Era a mesma coisa.

— *Ele veio para o Rio acompanhar?*

— Eu soube que ele estava, mas não o vi. Só ouvi comentários: "Olha, o quiabo duro está aí". Quiabo duro porque ele andava todo empertigado. Você já investigou o Sivuca?

— *Não.*

— Ele é um cara importante. Foi presidente da escuderia. No início de 1980 eu tenho certeza. Ele sabe de muita coisa.

— *O que falta descobrir do Riocentro?*

— Só os dois que estavam com o Newton Cruz e o Machado falar.

— *Bomba da OAB. O que você sabe disso?*

— Sei que quem montou a carta-bomba foi o Rosário, na casa do primo dele, numa oficina que o cara tem. Esse primo é um cara conhecido. Já foi citado.

— *Você foi ao enterro do Rosário?*

— Quando o Perdigão citou as coisas que tinham dado errado, ele citou a OAB, porque quem era o perito em explosivo era o Rosário, que era da equipe militar.

— *Mas quem levou a bomba?*

— Não sei como foi a operação.

— *O retrato falado, dizem que é do Guarany...*

— O Emanuel fala que foi o Guarany, mas eu gosto de falar só o que eu tenho certeza. Por isso que eu digo que é importante ouvir o Guarany, alguém chegar nele para poder esclarecer. A hora de chegar nele é agora, que ele está fragilizado. Eu não sei muita coisa da OAB. Eu sei da autoria, que foi o Rosário.

(Até esta data eu ainda não havia estado com o Guarany. Depois fui até a casa dele, que começou a falar, mas, forçado pela mulher, interrompeu a entrevista. Procurei a testemunha que o orientou sobre a localização da sala da D. Lyda Monteiro, secretária do Dr. Eduardo Seabra Fagundes, na sede da OAB, no Centro do Rio. A testemunha, rompendo um silêncio de 35 anos, reconheceu e apontou Guarany, em uma fotografia, como o rapaz com quem subiu no elevador, para entregar o envelope contendo a bomba, na sala do presidente da OAB e recebida por D. Lyda.)

— *Mas quem mandou botar a bomba? Foi o Perdigão?*

— Foi. O Perdigão mandou, mas não era para ter vítima.

— *Mas era para o presidente abrir, como não era para morrer ninguém? Eles queriam matar o presidente da OAB...*

— Não era para atingir a secretária. Era para o presidente morrer ou causar algum dano.

— *Não. Você vai me desculpar, mas se era para o presidente Seabra Fagundes, era para matá-lo.*

— Isso aí. Eles queriam atingir, mas não uma inocente. Era para quem estava prejudicando a comunidade de informações... Combativo.

— *Você sabe que o retrato falado corresponde ao Guarany?*

— Sim. O Emanuel falou isto comigo.

[Emanuel era um agente do DOPS que trabalhou o tempo todo com o delegado Claudio Guerra como motorista. Com ele transportou os corpos dos guerrilheiros para serem carbonizados na Usina Cambahyba, em Campos dos Goytacazes, no Norte Fluminense, onde eram produzidos produtos à base de cana de açúcar. Era um amigo do agente Guarany, responsável, conforme comprovado pela Comissão da Verdade do Rio, por levar a bomba que explodiu na mesa da secretária do presidente da OAB nacional, Seabra Fagundes. D. Lida Monteiro morreu em consequência da explosão. Emanuel colaborou na elucidação do episódio. O agente morreu de um ataque cardíaco na semana em que seria divulgada a elucidação do caso da Bomba da OAB.)

O Aparelho Repressivo

Para entender do que fala Claudio Guerra quando descreve suas atividades pelo aparelho repressivo, é preciso conhecer o funcionamento dele. Em seu relatório final entregue à presidenta Dilma em 10 de dezembro de 2014, a Comissão Nacional da Verdade (CNV), dedicou o capítulo quatro ao tema da montagem de todo o sistema de repressão (*Capítulo 4 - Parte II -Órgãos e procedimentos da repressão política*).

Ali é descrito minuciosamente, com base no trabalho realizado por sua equipe de pesquisadores e em entrevistas feitas com personagens da época, os órgãos que compunham esse aparelho.

Neste caso específico, quando tratamos das atividades clandestinas do ex-delegado do DOPS-ES, Claudio Guerra, é importante reforçar que, primeiro, para se segurar no poder, a ditadura montou um eficiente "sistema de informações", com o objetivo de manter todo o comando central a par das atividades dos que a confrontavam. E, em seguida, (a partir de 1967), criou e organizou o funcionamento dos órgãos que compunham uma verdadeira máquina de vigiar, prender, torturar, matar e fazer "desaparecer".

No primeiro momento, o da coleta de informações, lançou mão do trabalho preliminar feito pelo Instituto de Pesquisa e Estudos Sociais (Ipês)[23]. O instituto, organizado pelo general Golbery do Couto e Silva (na época ainda com a patente de coronel) e um grupo de companheiros de farda, contemporâneo na Escola Superior de Guerra, funcionou como eficiente núcleo conspiratório para a derrubada do então presidente João Goulart. Um dos trabalhos desenvolvidos no Instituto foi a criação de uma equipe responsável por monitorar os passos das lideranças e organizações de esquerda.

Um grupo era responsável por fazer fichas, contendo dados pessoais dessas pessoas, o que acabou por formar um valioso arquivo. O material foi transferido para Brasília e deu origem, no dia 13 de junho de 1964, ao Serviço Nacional de Informações (SNI). E, no segundo momento, organizou o Centro de Informações do Exército (CIE), no Rio de Janeiro, exportando para outros estados o modelo de DOI-CODIs, ou centro de torturas, mortes e desaparecimentos, a exemplo do criado pelo Comando do 1º Exército, no Rio.

A relação de Guerra se deu com o SNI, ao qual ele era diretamente subordinado, recebendo deste órgão as informações sobre as suas vítimas", e o DOI-CODI, onde ia apanhar os corpos a serem incinerados na Usina de Cambahyba, localizada no município de Campos dos Goytacazes, no Norte Fluminense.

A historiadora Heloisa Starling, organizadora do site Brasil Doc — arquivo digital construído pela Universidade

---

[23] ASSIS Denise, Propaganda e Cinema a Serviço do Golpe – 1962/1964, 1 Ed. Rio de Janeiro, Editora Mauad, 2001, p.73.

Federal de Minas Gerais (UFMG) com o objetivo de tornar disponível fontes históricas de natureza diversa abrigadas na instituição —, no texto "Órgãos de Informação e repressão da ditadura", traça um resumo da organização do aparelho repressivo montado pelo regime, para sufocar a resistência.

Entre 1964 e 1970, a ditadura militar criou um sistema reticulado que abrigou o vasto dispositivo de coleta e análise de informações e de execução da repressão no Brasil. O centro desse sistema era o Serviço Nacional de Informações (SNI), um órgão de coleta de informações e de inteligência que funcionava de duas maneiras: como um organismo de formulação de diretrizes para elaboração de estratégias no âmbito da presidência da República e como o núcleo principal de uma rede de informações atuando dentro da sociedade e em todos os níveis da administração pública. A estrutura do SNI fornecia ao sistema uma capilaridade sem precedentes ramificando-se através das agências regionais; das Divisões de Segurança e Informações (DSI), instaladas em cada ministério civil; das Assessorias de Segurança e Informação (ASI), criadas em cada órgão público e autarquia federal.

Até 1967, a ditadura se utilizou da estrutura de repressão já existente nos estados, mobilizando os Departamentos de Ordem Política e Social, subordinados às Secretarias de Segurança Pública e os policiais civis lotados nas Delegacias de Furtos e Roubos, famosos pelo uso da violência e a prática da corrupção. A máquina de repressão começou a tomar nova forma em maio de 1967, com a criação do Centro de Informações do Exército (CIE). O CIE atuava simultaneamente na coleta de informações e na repressão direta e foi provavelmente a peça mais letal de todo o aparato da ditadura. Tão temidos quanto o CIE eram o Centro de Informações da Marinha (CENIMAR), criado em 1957 e o Centro de Informações de Segurança da Aeronáutica (CISA), montado em 1970.

A partir de 1969, o sistema de coleta e análise de informações e de execução da repressão tornou-se maior e mais sofisticada com a criação, em São Paulo, da "Operação Bandeirantes", (OBAN) um organismo misto formado por oficiais das três Forças e por policiais civis e militares, e programada para combinar a coleta de informações com interrogatório e operações de combate. A OBAN foi financiada por empresários paulistas que estabeleceram um sistema fixo de contribuições — cujo funcionamento é, até hoje, um dos mais bem guardados segredos da ditadura. Também serviu de modelo para a criação, em 1970, dos Centros de Operação e Defesa Interna (CODI) e os Destacamentos de Operação Interna (DOI). Os CODI-DOI estavam sob o comando do ministro de Exército, Orlando Geisel, conduziram a maior parte das operações de repressão nas cidades e atuavam sempre em conjunto: os CODI como unidades de planejamento e coordenação; os DOI subordinados aos CODI se conduziam como seus braços operacionais. STARLING [...][24]

---

[24] <https://www.ufmg.br/brasildoc/temas/2-orgaos-de-informacao-e-repressao-da-ditadura/>

Comandante do DOI-CODI, o Major Fredie Perdigão preparou monografia com balanço do "trabalho"

ESCOLA DE COMANDO E ESTADO-MAIOR DO EXÉRCITO

MONOGRAFIA

O destacamento de operações de informações (DOI) no EB – Histórico, papel no combate a subversão: situação atual e perspectivas

Título do Trabalho

Maj Cav Freddie Perdigão Pereira

Posto Arma (Sv) e nome do autor

1978

Confidencial.

Por considerar que é importante mostrar a visão "deles" – os do aparato oficial do Estado - sobre o "trabalho" que desempenhavam nos aparelhos repressivos, incluo aqui um resumo da monografia produzida pelo major comandante do DOI-CODI - Destacamento de Operações de Informações – Centro de Operações de Defesa Interna -, Freddie Perdigão Pereira, sob o título: "O Destacamento de Operações de Informações – DOI – no Estado Brasileiro – histórico papel no combate à subversão: situação atual e perspectivas".

A monografia, uma espécie de balanço, foi apresentada por Perdigão à Escola de Alto Comando do Exército, com data de 1978. O primeiro capítulo recebeu o título: "Antecedentes que levaram à Institucionalização dos CODI e dos DOI". O encaminhamento dado pelo major, à apresentação, tem a forma de verdadeiro relatório de atividades desses centros de tortura. No trabalho ele expõe métodos de execução de "operações", leis que criaram os órgãos para reprimir os militantes da luta armada, composição de equipes, e faz um balanço dos "resultados" obtidos por sua gente, incluindo o número de mortos.

O sistema DOI-CODI era um serviço secreto, com diretrizes elaboradas pelo Conselho de Segurança Nacional e aprovadas pelo presidente Médici. Foi instituído nos moldes das Zonas de Defesa Interna (ZDI) das áreas de jurisdição do Exército. Os DOI-CODI foram criados em 1970, compondo o aparato repressivo: o do I Exército (Rio de Janeiro), do II Exército (São Paulo), do IV Exército (Recife) e do Comando Militar do Planalto (Brasília). Em 1971, os da 5ª Região Militar (Curitiba), da 4ª Divisão de Exército (Belo Horizonte), da 6ª Região Militar (Salvador), da 8ª

Região Militar (Belém) e da 10ª Região Militar (Fortaleza). Em 1974, o do III Exército (Porto Alegre), substituindo a Divisão Central de Informações (DCI).

Em sua composição os CODI possuíam representantes das três forças armadas e das polícias Civil e Militar, todos sob o comando do chefe do EME. Suas funções eram a de coordenar e assessorar as medidas de defesa interna – tanto de informações quanto de segurança. Os DOI eram unidades móveis e dinâmicas, controladas operacionalmente pela 2ª Seção do EME e subordinadas aos CODI. A missão era executar operações de repressão política. Os CODI, portanto, eram unidades de planejamento, ao passo que os DOI eram unidades de ação. Juntos, constituíam um sucedâneo da Oban.

Embora por lógica e hierarquia de funções a sigla devesse ser CODI-DOI, adotou-se a ordem inversa, DOI-CODI, dada a importância adquirida pelo DOI, nas atividades de repressão política.

As operações do DOI eram compartimentadas e executadas nos seguintes moldes: a) Setor de Investigações, incumbido de identificar e localizar indivíduos procurados; b) Seção de Busca e Apreensão, responsável por capturar suspeitos e recolher material subversivo, c) Subseção de Interrogatório, encarregada de realizar os interrogatórios preliminares e d) Subseção de Análise, que mantinha um arquivo sobre os prisioneiros e as organizações de esquerda, analisava os documentos apreendidos, estudava os depoimentos dos presos, fazia pesquisas e o cruzamento de dados para elucidar dúvidas. Era responsável, também, por fornecer subsídios ao trabalho dos "interrogadores" e elaborava as informações encaminhadas às escalas hierárquicas superiores.

Todas as chefias de seções e subseções do DOI-CODI, à exceção da administrativa, couberam a oficiais das forças armadas, o que demonstra o caráter militarista do órgão e a importância atribuída pelos militares ao controle da oposição política.

Em seu relatório, Perdigão dá conta de que o DOI-CODI matou 54 pessoas presas por agentes, em suas diligências. O que quer dizer: *vidas sob a responsabilidade do Estado*. Esses crimes nunca foram punidos, graças ao entendimento contido na Lei de Anistia (lei n° 6.683, promulgada pelo presidente João Batista Figueiredo em 28 de agosto de 1979, após uma ampla mobilização social), que alcançou e beneficiou "os dois lados".

O documento foi obtido pelo site "Documentos Revelados", e anexada ao processo de reabertura do inquérito sobre o Riocentro, no Supremo Tribunal Militar, em 10 de setembro de 1999, pelo seu encarregado, o general de Divisão Sergio Ernesto Alves Conforto.

Ao ler a monografia, fica-se com a impressão de que os militares estavam preocupados e se preparando para a Anistia, que viria, fatalmente, dado o volume que a campanha alcançara àquela altura, nas ruas (1978).

De acordo com Claudio Guerra, vinham de Freddie Perdigão, o autor da monografia, as ordens para retirar os corpos dos "subversivos", da Casa da Morte – centro de tortura clandestino e braço avançado do DOI-CODI, localizado em Petrópolis (região serrana do RJ) - a serem incinerados na Usina de Cambahyba, em Campos dos Goytacazes.

No relatório, Perdigão resgata o histórico do surgimento da luta armada, a partir das reuniões feitas pela Organização

Latino Americana de Solidariedade (OLAS), em Cuba, entre 1967 e 1968. A descrição feita pelo comandante é correta. O episódio envolve a expulsão de Carlos Marighella, do Partido Comunista, por ter desobedecido a orientação da direção do partido, que havia decidido não enviar representantes àquela reunião. Marighella não só participou, como também trouxe da OLAS a orientação da nova forma de luta e resistência: pegar em armas. O "Partidão" rejeitou a estratégia e não aderiu à orientação da OLAS, preferindo expulsar Marighella, em setembro de 1967 e ficar de fora da luta armada.

O major Perdigão, em seu trabalho, lista todas as organizações de esquerda, dando mostras do quão minucioso era o acompanhamento feito pelo órgão sob seu comando. Detalha, também, algumas das ações das organizações existentes na época. Com esmero, monta quadros demonstrativos dos "resultados" obtidos desde a fundação do DOI-CODI, em 1970, até a desativação, em 19 de maio de 1977, no governo do general João Figueiredo. (O fim dos DOIs se deu de maneira discreta, através de uma portaria interna do Ministério do Exército).

No primeiro capítulo, na introdução, ele descreve um cenário da reação da ala progressista ao golpe de 1964, que, sobreposto ao momento pós-golpe de 2016 resulta igual.

"Após a revolução de 1964 os comunistas, no país, foram tomados de um profundo marasmo. Ficaram verdadeiramente atônitos sem entender bem o que havia acontecido." Mas a semelhança acaba aí, pois em seguida ele passa a historiar o surgimento das várias organizações de esquerda, dando uma lista precisa das que participaram da luta armada:

"Nos anos de 1967 e 1968 as esquerdas brasileiras foram fortemente motivadas e influenciadas pelas reuniões da Organização Latino-americana de Solidariedade (OLAS), realizadas em CUBA (a caixa alta é dele), no segundo semestre de 1967 e que ditaram a nova estratégia de luta para as esquerdas, nos países não desenvolvidos.

Em consequência, o comunismo brasileiro sofreu uma série de dissidência internas, surgindo, então, várias organizações tais como: Ação Libertadora Nacional (ALN); Vanguarda Popular Revolucionária (VPR); Comando de Libertação Nacional (Colina); Movimento Revolucionário Tiradentes (MRT); Resistência Democrática (REDE); Partido Comunista Brasileiro Revolucionário (PCBR); Vanguarda Armada Revolucionária Palmares (VARPALMARES); Movimento Revolucionário 8 de Outubro (MR-8); Partido Operário Revolucionário Trotskysta (PORT); Partido Operário Comunista (POC); Partido Revolucionário dos Trabalhadores (PRT); Fração Bolchevique Trotskysta (FBT); Ação Popular Marxista Leninista do Brasil (APML do B); Movimento de Libertação Nacional (MOLIPO); Ala Vermelha do PC do B e muitas outras, todas optantes pela derrubada do regime e do governo, através de um novo processo de luta, a luta armada".

A esta altura o major recorda que o Movimento Estudantil, sensibilizado com a causa, inicia um movimento de organização de passeatas e "comícios relâmpagos", transformando as ruas das principais capitais *"em verdadeiras praças de guerra".*

Ele analisa também o XXX Congresso da União Nacional dos Estudantes (UNE), fazendo uma ilação maldosa – e por que seria diferente? – para com os dirigentes do ME. *"Em 1968 realizou-se na pequena cidade de Ibiúna, no interior de São Paulo, o XXX Congresso da União Nacional dos Estudantes. Desde 1964 os locais para realização destes Congressos eram, sempre, muito bem escolhidos. Realizavam-se na mais perfeita clandestinidade e as normas de segurança utilizadas pelos participantes era levadas a sério. Só os líderes e os elementos eleitos para participar é que compareciam.*

Entretanto, o XXX Congresso, quanto a estes aspectos, foi inteiramente diferente dos anteriores. Compareceram mais de 700 pessoas. As dificuldades logísticas para atender a tão grande número de pessoas numa pequena cidade, logo se fizeram sentir e a Polícia, imediatamente, tomou conhecimento. Todos os participantes do XXX Congresso foram presos e processados. Muitos elementos com receio de serem posteriormente condenados e outros ao se verem fichados pelos Órgãos de Segurança, passam à clandestinidade e a integrar os quadros das organizações terroristas.

(Neste ponto reside a injúria): Era justamente isto o que desejavam os líderes destas organizações. Hoje em dia, ao ser analisado o XXX Congresso da UNE, chega-se a quase certeza de que ele foi realizado nestas condições para que inúmeros estudantes, ao se verem surpreendidos, tomassem a atitude que tomaram de ingressarem definitivamente, como membros das organizações terroristas, em formação".

O que Perdigão não diz, é que para as organizações de esquerda o XXX Congresso da UNE foi, por outro lado, uma marca indelével na vida dos seus participantes. Durante os trabalhos das Comissões da Verdade, pôde-se constatar que todos os que passaram por Ibiúna foram fichados e, daí por diante, nunca mais deixaram de ser mapeados pela Polícia em suas atividades políticas. Os prontuários existentes nos arquivos sobre os que militaram na esquerda, na época, começam com a ficha e a foto feitas em Ibiúna, e se desdobram para as demais atividades. Isto facilitou bastante o trabalho dos Arapongas e demais agentes na atividade de persegui-los, desbaratar aparelhos e desmantelar as organizações.

Perdigão segue historiando a seu modo o movimento crescente das ações armadas, passa pela instituição de decretos que construíram o escopo da repressão, até chegar ao AI-5, sobre o qual comenta: *"Mas mesmo com estas novas Leis e com o AI-5 o terrorismo continuava. (...) Por que isto acontecia? Porque as nossas polícias, acostumadas até então a enfrentar, somente, a subversão praticada pelo PCB, PC do B, e pela AP, foram surpreendidas e não estavam preparadas para um novo tipo de luta que surgia, a Guerrilha Urbana."*

É verdade. A esquerda os surpreendeu. Logo, porém, por decisão de governo, o Exército tomou a si o combate à repressão, organizando uma estrutura implacável. Importante registrar aqui, que a monografia a que estamos nos referindo e reproduzindo trechos, foi escrita por quem, não só dirigiu, como também ajudou a montar e fazer funcionar a máquina de moer gente.

Sob o título que registra em maiúsculas – "DIRETRIZ DA POLÍTICA DE SEGURANÇA INTERNA", ele relata a emissão, em julho de 1969, do documento expedido pela Presidência da República, definindo que dali por diante era necessário:

"impedir, neutralizar, e eliminar os movimentos subversivos". Por "neutralizar e eliminar", entenda-se o que os termos significam: matar, extinguir, dizimar.

Tal documento dá nome ao capítulo 2 da sua tese: "Diretriz para a Política de Segurança Interna". E estabeleceu que caberia aos comandantes militares de áreas do Exército, *"a responsabilidade pelo planejamento e a execução das medidas para conter a subversão, o terrorismo, em suas respectivas áreas de responsabilidade"*. Desta forma, deixemos claro. Cada comandante de área do Exército sabia exatamente que passariam a prender, interrogar, torturar e matar, caso identificassem em suas áreas qualquer "atividade suspeita". Isto, a despeito de vários contemporâneos dessas atividades, ainda vivos, alegarem não saber o que se passava nos porões. Mentira. Era um projeto de governo. Era política de Estado, conforme ficou consensuado no Relatório Final da Comissão Nacional da Verdade, concluído e entregue ao governo brasileiro em dezembro de 2014, e que fica patente nesse documento de autoria do major criador e comandante do DOI-CODI, Freddie Perdigão.

O oficial prossegue contando a história do aparato repressivo, mencionando que em 1970 o governo "sente a necessidade de rever a DIRETRIZ de 1969, instituindo maior "arrocho" combate à subversão. Em março daquele ano foi aprovado o documento de nome "PLANEJAMENTO DE SEGURANÇA INTERNA", de outubro de 1970, que vigorou até o início dos anos de 1980. Neste sim, foi definida uma estratégia para todo o território nacional, englobando as Polícias Civil e Militar e todas as esferas de poder. *"Estabelece, assim, o governo brasileiro, uma estratégia específica, em âmbito nacional que assegurasse a consecução de determinados objetivos fundamentais para a sobrevivência do país".*

Por "estratégia", entenda-se maior alcance das práticas de eliminação. *"Para isto foi constituído um Sistema de Segurança Interna abrangendo todos os meios disponíveis"* (...). *"Esse sistema foi incumbido de assegurar o maior grau de garantia de Segurança Interna, pela aplicação do Poder Nacional, permanente, gradual, abrangendo desde as ações preventivas que devem ser desenvolvidas em caráter permanente e no máximo de intensidade, até o emprego preponderante da expressão militar, eminentemente episódico, porém visando sempre assegurar efeitos decisivos".* Quem é militar sabe bem o que significa "efeitos decisivos".

"Estabelece a estratégia de Segurança Interna adotada pelo governo brasileiro, entre outras, as seguintes prescrições, que também são fundamentais para o aperfeiçoamento do dispositivo de garantia da Segurança Interna:

a) Que o presidente da República, para a formulação e execução das ações de Segurança Interna, contasse com a assessoria direta de uma comissão de alto nível;

b) Que o planejamento de Segurança Interna fosse feito, basicamente, nos escalões do Exército, CMR, Distrito Naval e Comando Aéreo do Brasil;

c) Que a coordenação geral de planejamento e da execução das ações de Segurança Interna fosse responsabilidade dos comandos do Exército, CMP, CMA;

d) Que o comandante do Exército, CMP e CMA para a coordenação do planejamento e da execução integrada dos meios disponíveis para a garantia da Segurança

Interna, contasse com a assessoria das Secretarias de Segurança Pública e das demais organizações policiais, civis e militares, federais e estaduais;
e) Que os Estados, Territórios e o Distrito Federal fizessem seus planejamentos regionais em íntima ligação com o Comando Militar da área e colaborassem no sentido de possibilitar àqueles escalões militares a coordenação de planejamento e de execução das ações de Segurança Interna, em suas respectivas áreas;
f) Que o planejamento em nível e amplitude nacional fosse, também, coordenado e as ações de Segurança Interna pudessem ser acompanhadas, assegurando com isso não só a conjugação de esforços com a participação ampla e irrestrita de todos os órgãos do governo".

Sabem o que isto quer dizer? Que quem quer que fosse chefe de um órgão governamental naquela época estava dentro da máquina repressiva. Isto sempre se soube? Sim. Isto sempre se comentou. Só que agora quem descreve minuciosamente como todo o aparelho repressivo funcionou é o seu criador. O comandante das ações do horror. Não se trata mais de mera suposição. É documento.E para que não haja mais dúvidas sobre o envolvimento de toda a rede governamental nos seus vários níveis de poder - do presidente da República ao prefeitinho da cidade do interior, ou o comandante da unidade militar -, eis a estrutura, também descrita na tese de Perdigão:
"ESTRUTURA:
Com base na estratégia de Segurança Interna do governo brasileiro e das diretrizes emanada, configurou-se

uma Estrutura de Segurança Interna que vem sendo constituída dos seguintes órgãos:
a. COMISSÃO DE ALTO NÍVEL DE SEGURANÇA INTERNA (CANSI)
(1) Criada por ato presidencial;
(2) Tem como atribuições: assessorar, diretamente o presidente da Repúblicana colaboração das ações de Segurança Interna;
(3) Integram essa Comissão:
- Ministro da Justiça
- Ministros Militares
- Chefe do EMFA
- Chefe do SNI
- Secretaria Geral do Conselho de Segurança Nacional;
- Demais ministros de Estado, quando convocados.

CONSELHO DE DEFESA INTERNA (CONDI)
1) Estes órgãos, embora ainda não institucionalizados, já estão funcionando em algumas regiões do país. Vem sendo criados com a finalidade de assessorar os comandantes da Zona de Defesa Interna (ZDI) e facilitar a esses comandantes a coordenação por parte das mais altas autoridades civis e militares, com sede nas respectivas áreas de responsabilidade. Convém esclarecer que Zona de Defesa Interna é o nome dado ao espaço terrestre sob a jurisdição de um Exército ou Comando Militar de Área, para efeito de Segurança Interna.
2) Os Conselhos de Defesa Interna vem sendo integrados pelos:

3) Governadores de Estado, do Distrito Federal e dos Territórios;
4) Comandantes Militares de Área (Exército), Marinha e Aeronáutica;

Ele segue descendo a minúcias que vão parar lá no delegado de porta de cadeia. Ou seja, quem quer que teve posto de comando naquele período, não pode, de forma alguma, alegar desconhecimento de como as coisas se davam na perseguição aos que eles chamavam "subversivos". Chegou ao requinte de detalhar: *"Elementos credenciados de outros órgãos que serão convocados, quando necessário".*

E foram. Em meus trabalhos de investigação na Comissão da Verdade do Rio - CEV-Rio, localizei no Arquivo Público do Estado do Rio de Janeiro (Aperj), uma listagem de 411 nomes, com os respectivos cargos nos diversos órgãos da esfera federal (a maioria em ministérios) e estadual (secretarias de toda a natureza), convocados para, com o acréscimo de uma comissão no salário, serem informantes do SNI dentro de suas repartições.

E, conforme constatação explicitada por Freddie Perdigão neste trecho de sua monografia, não tinha como dar errado:

"O combate ao terrorismo e à subversão só teve êxito, a partir do momento em que cumprindo a 'DIRETRIZ PARA A POLÍTICA DE SEGURANÇA INTERNA', os comandantes militares de cada área baixaram normas centralizando as informações de caráter subversivo, e, determinando que todas as operações de Informações fossem realizadas através de um único órgão e, sob um comando único, que é o Comandante do DOI".

Dá para imaginar tamanho poder? Foi assim que muitas documentações apreendidas nos "aparelhos" desmantelados, muitas vezes ficavam retidas com a equipe que fez a operação. Era preciso consertar isto. *"Só a centralização das informações e das operações poderia conduzir a resultados positivos. O CODI passou, então, a coordenar as ações de Operações de Informações".*

Ainda falando sobre a estrutura, o major detalha a missão do DOI, que acabou superando o CODI em protagonismo, por ser a linha de frente das operações. *"O DOI é o órgão operacional do CODI, destinado ao combate direto às organizações subversivo-terroristas. Tem por missão desmontar toda a estrutura do pessoal e do material das organizações, bem como impedir a sua reorganização".*

Na descrição da equipe de investigação do DOI, ele acrescenta um detalhe mencionado por Claudio Guerra em sua entrevista. As mulheres tinham papel importante nas investigações.

"Turma complementar:
- composta de oficiais e praças da Polícia Feminina da PMESP e de investigadoras da Secretaria de Segurança Pública:
- Complementam as turmas de investigação quando o serviço exige a presença de um elemento feminino".

Perdigão desce a detalhes. Desde a necessidade de manter pastas com as fichas e fotos dos presos, a serem enviadas à Subseção de Interrogatório, até a composição desta seção:
"- Responsável pelo interrogatório dos presos;
- Chefia: oficial do Exército, nível de capitão;

De preferência com o curso B1 da Escola Nacional de Informações (ESNI)[25];
- Esta subseção possui três turmas de interrogatório preliminar, cada uma chefiada por um oficial do Exército, nível de capitão, de preferência com o curso B1 da ESNI. Estas turmas são compostas de seis elementos cada. Subordinada ao chefe de cada turma de interrogatório preliminar, existe uma turma auxiliar, encarregada do Centro de Comunicações, da Carceragem e da datilografar os documentos".

Os interrogatórios, conforme fartamente apurado pelos trabalhos das Comissões da Verdade, eram eufemismo para sessões de tortura que, nem sempre, terminavam bem. Por isto, do balanço do major Freddie Perdigão constam tabelas com números sobre "mortos" e o total em dólares (US$ 78.585,00) expondo quanto custou ao Exército brasileiro torturar, matar e "queimar". Confiram os números de Perdigão, nas tabelas abaixo:

---

[25] A ESNI integrava a estrutura do Serviço Nacional de Informações (SNI). O CEFARH sucedeu a ESNI a partir de 1990, dando nova orientação estratégica à capacitação em Inteligência. Os cursos de formação do CEFARH tinham orientação acadêmica, capacitando os servidores paratemas de interesse da Secretaria de Assuntos Estratégicos (SAE), órgão que sucedeu ao SNI. O CEFARH, hoje, enfatizava o atendimento às demandas do novo contexto estratégico.

CONFIDENCIAL
- 28 -

RESULTADOS ALCANÇADOS PELO DOI/CODI/ II EX DISCRIMINAÇÃO	TOTAL DATA BASE 19 MAIO 1977
PRESOS PELO DOI	2541
ENCAMINHADOS AO DOPS PARA PROCESSO	1001
ENCAMINHADOS A OUTROS ORGÃOS	201
LIBERADOS	1289
MORTOS	51
PRESOS RECEBIDOS DE OUTROS ORGÃOS	914
ENCAMINHADOS AO DOPS PARA PROCESSO	347
ENCAMINHADOS A OUTROS ORGÃOS	341
LIBERADOS	221
MORTOS	3
APARELHOS ESTOURADOS	274
ELEMENTOS QUE PRESTARAM DEPIS E FORAM LIBERADOS	3442
ARMAMENTO (ARMAS DIVERSAS)	750
MUNIÇÃO (CARTUCHOS DIVERSOS)	37830
BOMBAS	845
AUTOMOVEIS	376
OFICINA MECANICA	7
GRÁFICAS COMPLETAS	6

- VALORES APREENDIDOS:
- Cr$ 915.325,60
- US$ 78.585,00

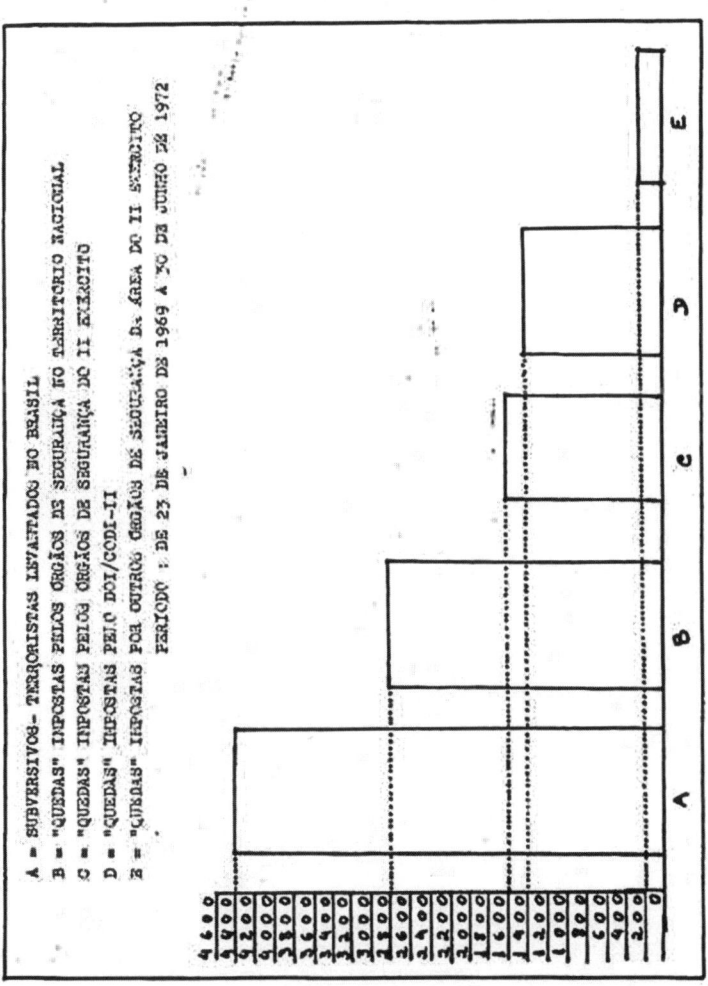

CONFIDENCIAL
- 29 -

A = SUBVERSIVOS- TERRORISTAS LEVANTADOS NO BRASIL
B = "QUEDAS" IMPOSTAS PELOS ORGÃOS DE SEGURANÇA NO TERRITORIO NACIONAL
C = "QUEDAS" IMPOSTAS PELOS ORGÃOS DE SEGURANÇA DO II EXERCITO
D = "QUEDAS" IMPOSTAS PELO DOI/CODI-II
E = "QUEDAS" IMPOSTAS POR OUTROS ORGÃOS DE SEGURANÇA DA AREA DO II EXERCITO

PERIODO : DE 23 DE JANEIRO DE 1969 A 30 DE JUNHO DE 1972

CONFIDENCIAL
- 30 -

A = "QUEDAS" IMPOSTAS PELOS ORGÃOS DE SEGURANÇA DO II EXÉRCITO NO PERÍODO DE 23 DE JANEIRO DE 1969 A 30 DE JUNHO DE 1972
B = PELO DOI/CODI-II, NO PERÍODO DE 23 DE JANEIRO DE 1969 A 29 DE SETEMBRO DE 1970
C = PELOS DEMAIS ORGÃOS, NO PERÍODO DE 23 DE JANEIRO DE 1969 A 30 DE SETEMBRO DE 1970
D = PELO DOI/CODI-II, NO PERÍODO DE 30 DE SETEMBRO DE 1970 A 30 DE JUNHO DE 1972
E = PELOS DEMAIS ORGÃOS, NO PERÍODO DE 30 DE SETEMBRO DE 1970 A 30 DE JUNHO DE 1972

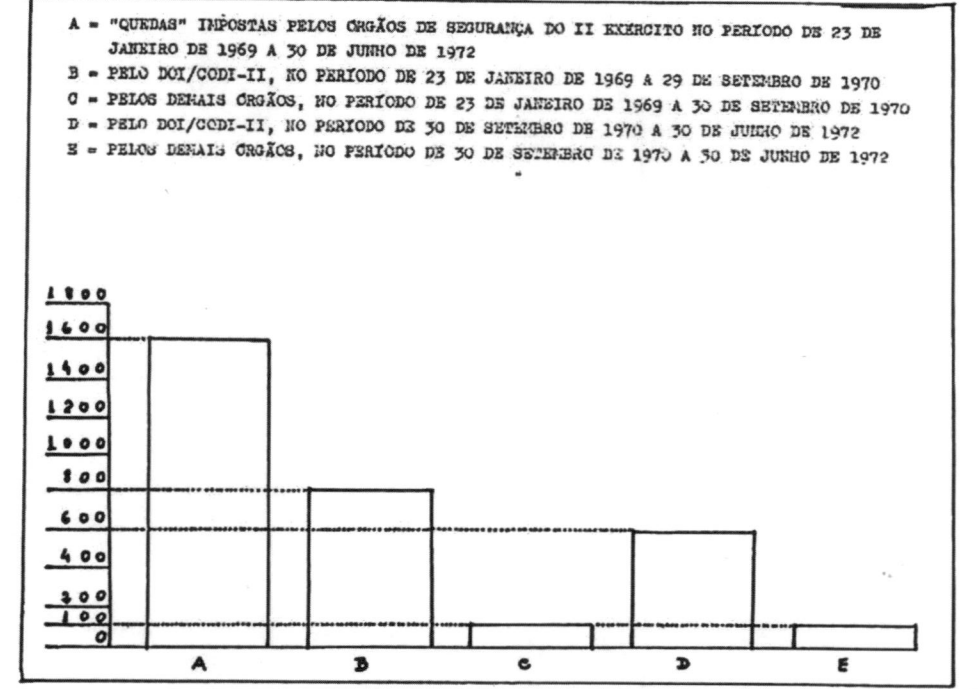

Sobre as dúvidas em torno das declarações de Claudio Guerra de que incinerou corpos nos fornos da Usina de Cambahyba, convém registrar que, ao final do depoimento prestado oficialmente à CNV, em julho (2014) cinco meses depois das nossas conversas em Vitória (ES) — o então presidente da Comissão, Pedro Dallari, é interpelado pela imprensa, travando o seguinte diálogo:

Repórter: Eu notei, não sei se estou certo ou errado, os senhores estavam preocupados em encontrar alguma contradição, alguma inconsistência no discurso dele? "O senhor está dizendo isso, mas no livro está dizendo aquilo...."

Pedro Dallari (Comissão Nacional da Verdade): Nós testamos. Veja, nós temos a preocupação de formar convicção a partir de vários elementos, está certo? Então nós estamos testando. Agora, ele tem muita consistência. As coisas que ele fala têm lógica, têm sentido. Não tem nenhum tipo de coisa que não seja verossímil. Agora, é evidente que a Comissão em tudo aquilo que a gente não pode ter uma prova definitiva, a gente tem que procurar agregar elementos.

Vale lembrar que até 10 de agosto de 2014 os fornos da Usina Cambahyba, descritos por Guerra, permaneciam intactos. Tanto é assim que depois do seu depoimento à Comissão Nacional da Verdade, (23/07/2014) a construção foi motivo de diligência de dois peritos da CNV: Cleber Peralta Gomes e Mauro José Oliveira Yared.

No relatório preparado e assinado por eles, os fornos são inspecionados, bem como o personagem "Vavá", citado por Claudio Guerra nas conversas e em seu depoimento à Comissão Nacional, é procurado para dar declarações.

Vavá era um antigo funcionário da usina, e homem de confiança do proprietário, Heli Ribeiro. Os peritos não localizaram Vavá, mas Guerra chegou a ser acareado posteriormente com ele, por Skype, sob a assistência de um policial federal. Segundo Guerra, Vavá o reconheceu, chamou de Dr. Claudio e ia iniciar um diálogo, quando foi interrompido por um advogado levado ao local pela filha de Vavá.

Obsessivo na busca de comprovar a veracidade das suas declarações, o ex-delegado forneceu fotos em que aparece na fazenda de Heli Ribeiro, em Campos dos Goytacazes, e, também, das duas famílias em momentos de confraternização.

Relatório da viagem a Campos dos Goytacazes/RJ

Estivemos no endereço Avenida Henrique Guitton, nº. 61 Parques Santa Maria, Campos de Goytacazes/RJ local de residência do Sr. **Erval Gomes da Silva**, tendo nos atendido a companheira do mesmo e esta declinou que estaria separada de "**Vavá**" e não sabia declinar o seu paradeiro ou mesmo meio de contatá-lo.

Erval Gomes da Silva, "Vavá".

Em seguida dirigimo-nos para a Usina Cambahyba e no local mantivemos contato com o líder do MST, conhecido por "**Paulista**" e este autorizou a entrada na referida usina, local vistoriado e registrado por filmagens e fotografias.

Em conversa, informal com alguns dos moradores do local, estes informaram que a Usina era administrada pelo Sr. **Heli Ribeiro** e seus filhos, segundo contam a falência da usina se deu em razão dos filhos subtraírem inúmeros sacos de açucares e revenderem clandestinamente.

A usina tinha funcionários que trabalhavam armados com arma de fogo e entre os mais conhecidos eram "**Vavá**" e o filho de **Heli**, **João Lysandro Ribeiro**, conhecido por "**João bala**".

Na oportunidade Dr. **Claudio Guerra** afirmou ter vingado a morte de um dos filhos de **Heli**, conhecido por **José Lysandro Ribeiro**, que teria sido assassinado por ter chicoteado um rapaz que cuidava do carro de **José** e este de posse de uma arma de fogo, matou-o.

Coronel **Perdigão**, ligou para **Claudio** e ordenou que fosse dar apoio a **Heli**, ocasião que após realizar diligências no sentido de localizar o criminoso, acabou por localizá-lo e matá-lo.

O referido crime teria ocorrido entre os anos de 1981 a 1983.

Dr. **Claudio Guerra**, também afirmou e mostrou o local onde assassinou o Tenente **Odilon**.

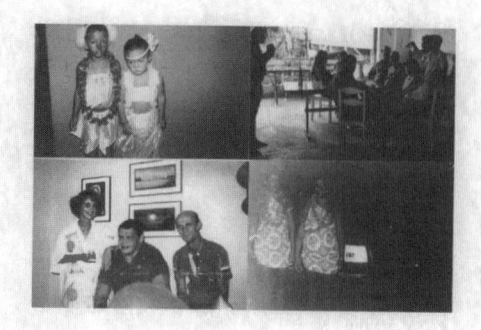

A primeira foto superior da esquerda para direita, esta a filha de "**Vavá**" com a filha do Dr. **Claudio Guerra**.

A segunda superior da direita para esquerda, uma reunião na antiga casa do Dr. **Claudio Guerra**, com a presença de um dos donos do "Angu do Gomes", pessoa sem camisa ao centro, calvo, com óculos e bigode.

A fotografia inferior da esquerda para direita, no centro de camisa vermelha, compleição forte é a pessoa do CB – Povoleri.

A fotografia inferior da direita para esquerda, a sogra de "**Vavá**" com a esposa do Dr. **Claudio Guerra**.

Fotografia de **Roberto**, localizado ao centro, sentado, moreno de cabelos grisalhos, pertencia ao grupo do Coronel **Perdigão**, tem uma firma de segurança na Cidade de Campos dos Goytacazes/RJ.

Pessoa sentada, de óculos, da esquerda para a direita, trata-se do Prefeito da Cidade de Itaperuna/RJ.

O local é uma reunião com a participação do Dr. Claudio Guerra.

Usina Cambahyba.

Usina Cambahyba

Fotografias da **Usina Cambahyba**, Campos dos Goytacazes/RJ.

Placa da caldeira da Usina

Placa da caldeira da Usina

Caldeiras da Usina

Visão geral das Caldeiras da Usina

Vejo a necessidade de acarear Dr. **Claudio Guerra** e **Erval Gomes da Silva**, para esclarecer a participação de ambos, na cremação dos corpos de pessoas assassinadas a mando do Coronel **Perdigão**.

Brasília 10 de agosto de 2014.

Cleber Peralta Gomes

Mauro José Oliveira Yared

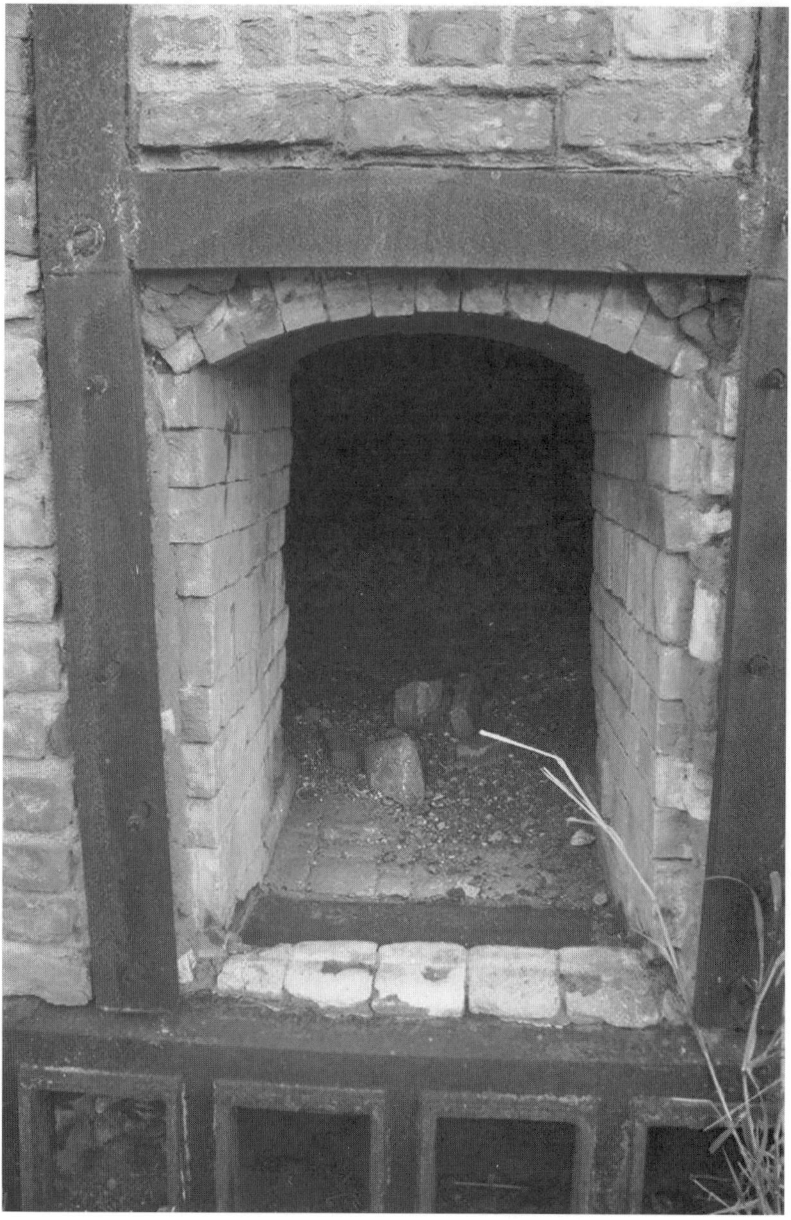

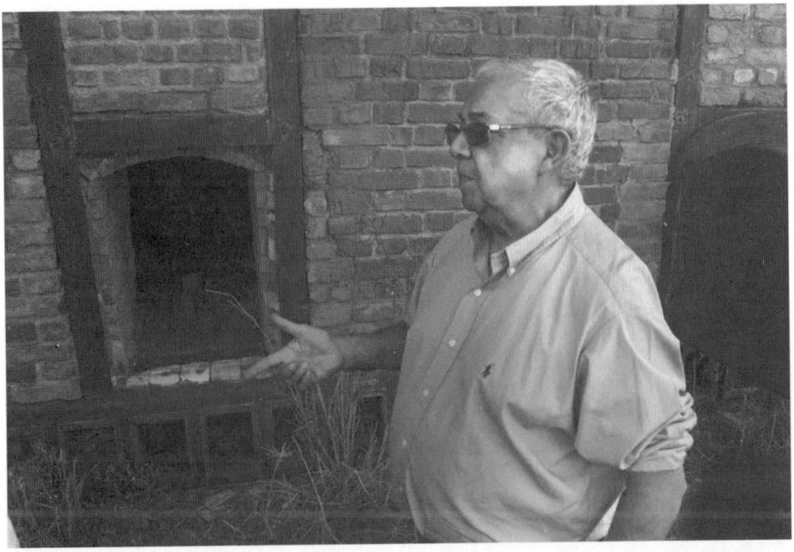

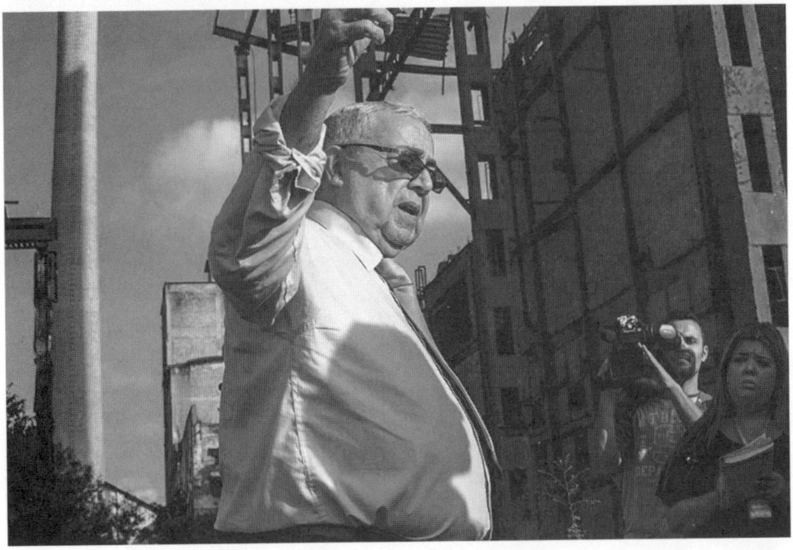

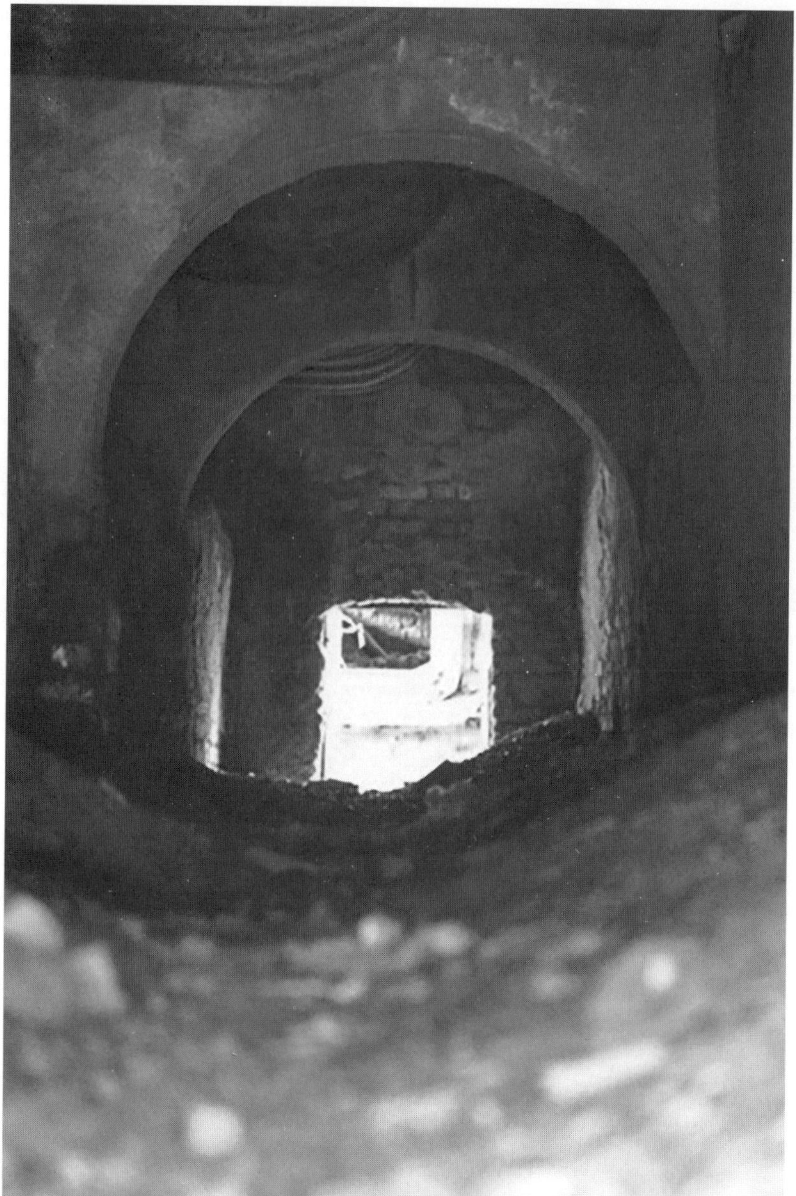

Enquanto se discutia a veracidade ou não das informações do ex-delegado Claudio Guerra, sobre os corpos incinerados na Usina Cambahyba, alguém resolveu tomar providências para acabar com as dúvidas a seu modo. Em um dia qualquer do ano de 2015, que o Ministério Público Federal — responsável por atestar se realmente ali foram incinerados os corpos dos guerrilheiros citados por Guerra, não sabe precisar — eles amanheceram no chão.

Aqui, cabe uma ponderação. Ora, se o que Claudio Guerra conta não tem fundamento, se ele mente para despistar o real paradeiro desses "desaparecidos", por que motivo os fornos deveriam ser demolidos? Que tipo de provas poderiam conter, a ponto de alguém ser movido a destrui-los?

Estas e outras tantas perguntas, jamais serão respondidas. Conforme reportagem publicada no jornal Brasil de Fato, no dia 15 de março de 2019, (data muito próxima à da passagem dos 55 anos do golpe de 1964), os fornos da Usina Cambahybaque podem ter recebido os corpos de cerca de 10 oponentes do regime instalado após este golpe, mereceram reportagem sobre a destruição.

A matéria foi postada no portal do jornal às 7h04, e era assinada pela jornalista Clívia Mesquita, sob o título: "No RJ, MPF investiga destruição de usina que serviu para ocultar corpos na ditadura". Sob a foto, (sem crédito para o fotógrafo, com indicação apenas para: arquivo), reproduzida abaixo, vinha a seguinte legenda: "Antigos fornos da Usina de Cambahyba viraram escombros; MPF investiga o caso sob sigilo."

Era o seguinte o texto da repórter Clívia Mesquita: "a Usina de Cambahyba, no município de Campo dos Goytacazes, é alvo de duas investigações do Ministério Público Federal (MPF). A primeira apura o uso das instalações para ocultar cadáveres durante a ditadura civil-militar brasileira (1964-1985). A segunda tenta descobrir quem são os responsáveis pela demolição dos fornos onde ao menos 10 presos políticos teriam sido incinerados nos anos 1970 na região norte fluminense pelo regime".

Para a reportagem ela ouviu a professora Ana Costa, da Universidade Federal Fluminense (UFF), — presume-se, uma historiadora que externou sua surpresa: *"De repente, os fornos não existiam mais"*. De acordo com o depoimento da professora à repórter, ela se deparou *"com a estrutura danificada em uma aula de campo em julho de 2018. Já em novembro, ela e os alunos encontraram só escombros."*

Ao denunciar a intenção de varrer a memória do período, daquele sítio histórico, Ana Costa declarou: *"Os movimentos de luta pela terra tinham uma proposta de transformar em memorial da repressão. Não só de manter, mas de torná-lo um espaço importante da resistência a todo esse processo que foi a ditadura"*. E, o mais grave, as investigações feitas no local ainda estavam em curso.

Se havia planos para transformar os fornos em "local de memória", tiveram que ser abandonados diante da demolição inesperada. Entre os desaparecidos supostamente "incinerados" nos fornos da Usina de Cambahyba estão os militantes de esquerda David Capistrano da Costa, Luiz Ignácio Maranhão Filho e o casal Ana Rosa Kucinski e Wilson Silva. Ou seja, aqueles que não resistiram à tortura na Casa da Morte (um dos centros clandestinos de tortura montados pelo DOI-CODI do Rio), ou o do próprio DOI. Todos

Clívia Mesquita ouviu o MPF, que na ocasião informou que "instaurou procedimento investigatório criminal para apurar o caso, que se encontra sob sigilo". O órgão também expediu nota se dizendo na expectativa de "uma perícia no local em breve", mas sem um prazo para se posicionar.

Na conclusão da matéria a repórter acrescenta a fala do diretor do Instituto Histórico e Geográfico de Campos dos

Goytacazes, que acentua a desconfiança sobre os motivos da destruição: *"Como o assunto envolvia um importante membro da oligarquia campista de um lado [Eli Ribeiro Gomes], 'terroristas' de outro, e não tinha consistência de provas materiais ou documentais, pode imaginar que não foi preciso muito esforço para que o assunto morresse",* disse Antonio Carlos Ornellas Berriel, diretor do Instituto Histórico e Geográfico de Campos dos Goytacazes. O prédio da Usina de Cambahyba não é tombado e a destruição do equipamento pode comprometer a construção de um memorial caso seja condenado.

Das perguntas feitas sobre as declarações minuciosas do ex-delegado do DOPS, tanto tempo depois, as que suscitam mais curiosidade são as relacionadas à motivação dessas revelações. Para mim, disse que o fez movido por uma conversão a uma religião pentecostal. Segundo ele, sentiu necessidade de "acertar as contas com esse passado".

De minha parte, não me cabe opinar, mas também não consideraria o trabalho dado por encerrado, se não passasse por este tema. Para isto, busquei resposta, mais uma vez, nas justificativas dadas por ele mesmo.

Conforme consta do Relatório Final da Comissão Nacional da Verdade (CNV), — a reprodução é fiel ao que consta do relatório — ao iniciar o seu depoimento para a Comissão, Claudio Guerra protagonizou a seguinte cena:

"Cláudio Antônio Guerra — Eu queria uma permissão para eu poder falar porque eu estou aqui.

Pedro Dallari (Comissão Nacional da Verdade) — Por favor, fique à vontade.

Cláudio Antônio Guerra — Olha, hoje, não importa assim o julgamento das pessoas, mas o julgamento de Deus que eu me importo hoje. Eu queria estar lendo, porque eu estou sendo tido por aqueles antigos amigos, companheiros do passado como dedo-duro. Eu não sou dedo-duro. Eu estou falando o que eu fiz. Eu estou falando na primeira pessoa: Eu. Eu quero ler o texto aqui pequeno. Não vou incomodar os senhores.

Pedro Dallari (Comissão Nacional da Verdade) — Por favor, fique à vontade.

Cláudio Antônio Guerra — O Paulo que todos nós sabemos que antes ele era perseguidor das pessoas que serviam a Cristo. Matava e torturava. Ele passou a ser pregador da palavra e passou a sofrer. Não estou querendo dizer aqui que eu sou santinho, que estou sofrendo não. Eu estou pagando o preço, porque Deus perdoa os pecados, mas as consequências ficam. E as consequências estão aí e eu tenho que me submeter a elas. Por isso que quero ler esse texto aqui. Em Paulo, no livro de Atos, no versículo, dois ou três. Vou ler rapidamente. Olha o que Paulo está dizendo quando ia para Jerusalém. *"E agora constrangido em meu espírito vou para Jerusalém. Não sabendo o que ali me acontecerá. Se não o que o Espírito Santo de cidade em cidade me assegura que me espera cadeias e tribulações. Porém, em nada considero a vida preciosa para mim mesmo contando que complete a minha carreira. E o ministério que recebi do senhor Jesus para testemunhar o evangelho da graça de Deus."* Então, meu objetivo é esse aí: testemunhar a verdade. Entendeu? Eu sei que me espera talvez punições. Agora recentemente, no Rio, foi oferecida uma denúncia sobre o caso Riocentro. Sem querer me autoelogiar, mas quem deu os detalhes do que aconteceu no Riocentro fui eu. E fui denunciado pra responder um processo. Não estou reclamando. Acho que a Procuradoria está fazendo o trabalho dela e muito bem. Acho que se tem que fazer o processo, tem que fazer. E paga quem deve. Então, era isso aí que eu queria deixar registrado que não sou dedo-duro. Eu estou falando, estou buscando trazer a verdade para que uma página negra da nossa história seja passada a limpo."

E, de fato, desde então, Guerra não parou de atender à imprensa — ainda que vários profissionais do ramo o desqualificassem em conversas reservadas, bem como grupos de familiares e ex-exilados.

Para Guerra, fazer tais revelações passou a ser uma espécie de missão e, dizia, não importavam os riscos, embora valha deixar registrado um episódio em que considerou que o melhor caminho fosse a prudência:

Poucos dias antes da morte do oficial responsável por gerenciar a "Casa da Morte", Paulo Malhães, o ex-delegado havia combinado de vir ao Rio de Janeiro, para dar detalhes de uma outra investigação em curso, a meu encargo. Tinha uma gravação com a TV-BBC e iria aproveitar a oportunidade. Na véspera de sua viagem, no entanto, cancelou. Contou que ao se dirigir à agência de viagem para retirar a passagem já paga pela BBC, alguém ligou para o seu celular e o advertiu de que havia um plano para eliminá-lo no trajeto da Linha Vermelha. Diante do ocorrido, preferiu não viajar.

Dois dias depois, Paulo Malhães apareceu morto. A Polícia creditou o crime a latrocínio: roubo seguido de morte. Coincidências? Para a Polícia o caso foi resolvido. Guerra achou prudente não comentar.

Todo o material produzido sobre ele na Comissão da Verdade do Rio, imagino, deve ter sido entregue ao Arquivo Público do Estado do Rio de Janeiro, como de resto, tudo o que foi pesquisado e produzido pela Comissão, conforme ficou acordado entre a CEV-Rio e o governo do Estado do Rio de Janeiro, ao qual era subordinada. Claudio Guerra acabou reabilitado na CEV-Rio, depois de colaborar com informações a respeito do episódio conhecido como: "Bomba da OAB".

Durante 35 anos a Ordem dos Advogados do Brasil (OAB), tentou chegar aos autores do atentado praticado contra o presidente da instituição, em 27 de agosto de 1980. Na ocasião, um agente do DOI-CODI — Magno Cantarino Mota (o Guarany) subiu à recepção que dava acesso à sala do então presidente, Eduardo Seabra Fagundes, entregando à sua secretária, a senhora Lyda Monteiro — então com 59 anos —, um envelope pardo, endereçado a Seabra Fagundes. O que o agente não sabia é que a correspondência era aberta antes por Lyda que, ao fazê-lo, acionou o dispositivo da bomba de fabricação caseira que havia no interior do envelope. Com a explosão, Lyda foi ferida, vindo a falecer a caminho do Hospital Souza Aguiar, próximo à OAB, no Centro do Rio de Janeiro.

A elucidação do atentado foi anunciada no dia 11 de setembro de 2015, faltando apenas um mês para o encerramento dos trabalhos da CEV-Rio, e a entrega do Relatório Final, ao governo do estado. Na ocasião, o presidente da OAB Nacional, Marcus Vinicius Furtado Carvalho, emitiu nota classificando a revelação da comissão como "um encontro do Brasil com a sua história". Confira abaixo a íntegra da nota:

"Um encontro do Brasil com a sua história. Os nossos filhos agora poderão ler por completo esse pesar passado do país, a lembrar que jamais podemos admitir retorno à regimes de ditaduras. Nunca mais a voz única do autoritarismo. Queremos o respeito à pluralidade e à diferença, a convivência sem ódio e sem rancor. A intolerância não constrói uma nação justa e fraterna. A democracia pressupõe a liberdade. Para os males da democracia, apenas um remédio: mais democracia. A bomba, mesmo que dirigida ao presidente da OAB Nacional, foi lançada contra a sociedade brasileira, contra os valores democráticos e acabou por vitimar fisicamente dona Lyda Monteiro. O triste episódio acabou por fortalecer a sociedade brasileira, que lutou ainda mais duramente para a aprovação de uma constituição da República. Defender as garantias constitucionais é a melhor forma de homenagear a história de dona Lyda Monteiro e consolidar a democracia."

Mesmo após a destruição dos fornos, MPF conclui pela veracidade das declarações de Guerra

Já com este trabalho em perspectiva, no dia 31 de julho de 2019, o Ministério Público Federal-RJ deu por encerradas as investigações sobre as denúncias de Claudio Guerra quanto aos corpos incinerados na Usina de Cambayba. O resultado, confirmando a veracidade do que dizia o ex-delegado foi divulgado pelo site G1, às 20h, dois dias após o presidente Jair Bolsonaro, numa bravata irresponsável, ter declarado a jornalistas que, se o presidente da Ordem dos Advogados do Brasil, Felipe Santa Cruz, quisesse saber como o seu pai havia morrido, deveria perguntar para ele, Bolsonaro. A notícia consolidou a necessidade de transformação do material bruto, até então guardado, em livro.

A reportagem era assinada pela jornalista Aline Rickly, (com fotos de Letícia Bucker) e reproduzia a decisão da Justiça, que reconhecia que os corpos de Fernando Santa Cruz e outros 11 "desaparecidos" foram mesmo incinerados no município fluminense de Campos dos Goytacazes, no Norte Fluminense.

Naquela tarde de 31 de julho, a Justiça Federal recebeu denúncia do MPF-RJ, declarando, por fim, que a lista fornecida por Claudio Guerra, dos que haviam sido levados para os fornos da usina, era verídica. E atestava também que as 12 pessoas mencionadas por ele constam na lista dos 136 desaparecidos políticos entre o período de 2 de setembro de 1961 a 15 de agosto de 1979.

Para se pronunciar, o Ministério levou em conta principalmente a ida de Claudio Guerra à usina de Campos, em 2014, acompanhado dos peritos da CNV. A equipe realizou uma diligência no local, mostrando como os corpos eram incinerados. As investigações do MPF foram feitas ao longo de oito anos, tendo ouvido ao todo 20 pessoas e recolhido material de áudio e vídeo. O relatório de conclusão dos trabalhos resultou em duas mil páginas, contendo a denúncia contra o "ex-delegado do Departamento de Ordem Política e Social (DOPS), Claudio Guerra, por ocultação e destruição dos corpos".

Em seus depoimentos espontâneos, Guerra relatou que havia preocupação nos órgãos de informação, por parte dos coronéis Perdigão e Malhães, de que os corpos dos eliminados pelo regime acabassem descobertos, "movimentando a imprensa nacional e internacional". Ele narrou que uma das estratégias da repressão era sumir com os corpos nos rios. A "tarefa" incluía "arrancar parte do abdômen das vítimas, evitando, com isso, a formação de gases, o que levaria o corpo a emergir". Justificou que os rios constituíam a preferência para afundamento dos corpos, "dado que no mar a onda os traz de volta".

A opção pelos fornos da Cambayba, de acordo com Claudio, se deveu ao fato de permitir a eliminação sem deixar rastros. Pôde constatar isto, pois revelou que já utilizava a usina e seus canaviais para desova de criminosos comuns, do Espírito Santo, em razão de sua amizade com o proprietário, Heli Ribeiro.

Para concluir o processo de investigações, o Ministério Público considerou também os depoimentos de Claudio para a Comissão Nacional da Verdade (CNV), para a Procuradoria do MPF do Espírito Santo e o que disse em seu livro: "Memórias de uma Guerra Suja", editado pela Topbooks. Em todos os depoimentos Claudio citou a incineração, fornecendo detalhes. Ao chegar à usina ele, auxiliado pelo motorista Emanuel (o fininho, já falecido) e pelo funcionário da Cambayba, (que disse conhecer apenas pelo apelido) o Vavá, passavam os corpos para outro veículo, para serem levados até próximo às caldeiras, sendo então colocados na boca do forno e empurrados com um instrumento que lembrava uma pá. Disse, ainda, que a "queima" não chamava atenção por causa do forte cheiro do vinhoto exalado da cana quando incinerada.

Contou que examinou cada cadáver transportado por eles, levado pela curiosidade. Antes de colocá-los nos fornos, ele abria os sacos pretos de plástico onde estavam acondicionados. Foi assim que pôde descrever detalhes tais como as sevícias sofridas por Ana Rosa Kucinski, e observar que Davi Capistrano teve o braço direito decepado.

Claudio sempre afirmou, por exemplo, que tanto o corpo de Fernando Santa Cruz, quanto o de Eduardo Collier — presos juntos no dia 22 de fevereiro, um sábado de carnaval, no Rio de Janeiro, no ano de 1974 —, foram pegos por ele na Casa da Morte, em Petrópolis (Região Serrana do Rio). Para retirar os corpos da casa, o ex-delegado "encostava o carro no portão e recebia, em seguida, de dois ou três militares, os corpos em sacos plásticos lacrados."

O depoimento do ex-delegado foi confrontado com o do ex-sargento do Exército, Marival Chaves Dias do Canto, também prestado à CNV, onde ele afirma que existia um esquema de transferência de presos entre estados e o encaminhamento para locais de repressão, como a Casa da Morte. Marival contou que Fernando e Eduardo foram vítimas dessa operação. O MPF do Rio juntou confissões, testemunhos e documentos que confirmaram a autenticidade do relato de Guerra.

Pelo fato de ter observado os corpos antes de queimá-los foi possível para ele identificá-los mais tarde, no livro elaborado pelos familiares dos "desaparecidos" políticos e outras publicações onde constavam suas fotos. Outro detalhe da conclusão do MPF foi o de que, segundo o ex-delegado, os corpos não estavam em adiantado estado de decomposição, "pois normalmente não havia cheiro forte". A esta altura o relatório faz a ressalva: "Tal fato indica que o transporte dos corpos não se dava muito tempo depois da prisão e assassinato das vítimas, podendo se traçar uma linha de tempo não muito extensa entre a prisão e o referido transporte, excetuado eventual caso em que a prisão se tenha alongado na Casa da Morte ou no DOI-CODI/RJ".

De acordo com a reconstituição feita por Claudio em 2014, e acompanhada por peritos da CNV, de como os corpos eram colocados no forno para as incinerações, o órgão pôde comprovar que: "a abertura dos fornos era suficientemente grande para a entrada dos corpos humanos, não se admitindo como válida qualquer negativa nesse sentido".

O MPF derrubou, também, o questionamento sobre se seria impossível chegar tão perto da entrada dos fornos, em razão da alta temperatura:

"Também não se mostra minimamente razoável, dado que nada impediria a inserção de corpos que içados, por exemplo, com uma pá de maior medida e extensão, ou ainda em períodos noturnos e em épocas de menor fluxo nas caldeiras, independente do contínuo funcionamento".

Por fim, o MPF considerou a conclusão da CNV sobre a reconstituição de 2014 relatando que a própria entrada dos fornos ficava em altura fácil de ser encontrada. "Não existindo, portanto, dúvida acerca do tema, o qual pode ser ainda atestado por eventuais perícias técnicas".

Diante das constatações, o MPF decidiu denunciar Claudio Antonio Guerra por ter agido movido por "motivo torpe" (uso do aparato estatal para preservação do poder contra opositores ideológicos), visando assegurar a execução e sua impunidade, com abuso do poder inerente ao cargo público que ocupava.

Assim, "com o objetivo de assegurar a impunidade de crimes de tortura e homicídio praticados por terceiros, com abuso de poder e violação do dever inerente do cargo de delegado de polícia que exercia no Estado do Espírito Santo, foi o autor intelectual e participante direto na ocultação e destruição de cadáveres (previsto no artigo 211 do Código Penal) de pelo menos 12 pessoas, nos anos de 1974 e 1975", descreveu o procurador da República Guilherme Garcia Virgílio, autor da denúncia.

Naquele momento (o ano de 2019), o ex-delegado, então com 79 anos, tornava-se efetivamente punido e denunciado por crimes cometidos em atividades desenvolvidas, durante o regime militar que vigorou de 1964 a 1985, numa das mais longas ditaduras da América do Sul.

Além da condenação pelos crimes praticados, o MPF pediu "o cancelamento de eventual aposentadoria ou qualquer provento de que disponha o denunciado em razão de sua atuação como agente público, uma vez que, para o órgão, o comportamento do ex-delegado se desviou da legalidade, afastando princípios que devem nortear o exercício da função pública".

O caso de Claudio Guerra não pôde ser considerado na Lei da Anistia (6.683/1979), situação que o livraria das punições. No entendimento do MPF os crimes cometidos por ele não tiveram, "motivação política". Foram considerados "crimes comuns".

"Não importa sob que fundamentos ou inclinações poderiam pretender como repressão de ordem partidária ou ideológica, sendo certo que a destruição de cadáveres não pode ser admitida como crime de natureza política ou conexo a este", apontou o procurador Garcia Virgílio. E acrescentou ao relatório de sua decisão, a seguinte lista de incinerados na Usina de Cambayba:
- Ana Rosa Kucinski
- Armando Teixeira Fructuoso
- David Capistrano da Costa
- Eduardo Collier
- Fernando Santa Cruz
- Joaquim Pires Cerveira
- João Batista Rita
- João Massena Melo
- José Roman
- Luiz Ignácio Maranhão Filho
- Thomaz Antonio Silva Meirelles Netto
- Wilson Silva

Ao anunciar a decisão do MPF o procurador e autor da denúncia, Garcia Virgílio, externou sua satisfação. "Isso é importante, pois, de acordo com dados do Relatório de Crimes da Ditadura (2017), apenas seis de 26 pessoas acusadas por crimes cometidos durante a ditadura se tornaram réus em ação penal".

Entre esses seis está o notório torturador Carlos Alberto Brilhante Ustra. Sempre que pode, Jair Bolsonaro o exalta, bem como seus filhos, que durante a campanha do pai, em 2018, desfilavam com camisetas com a estampa de Ustra. A atitude dos "rapazes" poderia ter sido enquadrada como "incitação ao crime", prevista nos artigos 286 e 287 do Código Penal brasileiro. Tal como a tortura, esses crimes podem ser punidos em qualquer país signatário dos tratados internacionais onde estão contidos, e aos quais o Brasil aderiu. Por exemplo, a Convenção de Genebra (nome dado a vários tratados internacionais assinados entre 1864 e 1949 para reduzir os efeitos das guerras sobre a população civil, além de oferecer uma proteção para militares capturados ou feridos).

Por este motivo segue totalmente equivocada a afirmação feita constantemente por Bolsonaro de que a tortura praticada no Brasil teve justificativa, pois o país "estava em guerra". O Brasil nunca admitiu ou aplicou, durante a ditadura, nenhuma das convenções e protocolos que seriam aplicáveis em situações de "guerra" ou de "guerra civil". Talvez para fugir às sanções impostas aos que aplicam a tortura, aqui fartamente impingida aos presos políticos. Logo, para o Estado brasileiro, não se tratou de uma "guerra".

O que caracteriza a existência de um conflito armado entendido como "guerra" ou "guerra civil" é a aplicação de um ramo do direito internacional público chamado Direito Internacional Humanitário ou Direito Internacional dos Conflitos Armados. Mesmo em guerras, crimes como o de tortura são expressamente proibidos pelo artigo 3º, comum às quatro Convenções de Genebra. São imprescritíveis e passíveis de punição pela chamada "jurisdição universal". Por este princípio, uma pessoa acusada desses crimes pode ser processada pela Justiça de qualquer país do mundo, tal a gravidade do delito.

Brilhante Ustra, que morreu em outubro de 2015, aos 83 anos, em decorrência de um câncer e de problemas cardíacos, comandou, entre 1969 e 1973, o centro de tortura no extinto DOI-CODI (Destacamento de Operações de Informação — Centro de Operações de Defesa Interna), temido órgão de repressão da Ditadura Militar. Grande parte dos que por lá passaram, saíram mortos.

Ainda em vida, em junho de 2012, foi condenado a indenizar a esposa e a irmã do jornalista Luiz Eduardo Merlino, morto sob tortura nas dependências do DOI-CODI em julho de 1971. Merlino, militante do Partido Operário Comunista (POC), trabalhou no Jornal da Tarde e na Folha da Tarde.

Foi o único torturador declarado como tal pela Justiça, em 2008, por decisão da 23ª Vara Cível do Estado de São Paulo, em ação civil declaratória movida com ganho de causa pela militante de esquerda Maria Amélia de Almeida Teles. O coronel recorreu ao Tribunal de Justiça paulista, mas a 1ª Câmara de Direito Privado manteve a decisão inicial. Desta forma, Ustra, que já havia sido apontado por vários presos que passaram por suas mãos, foi declarado judicialmente "torturador". Ustra foi denunciado ainda pelo Ministério Público Federal outras seis vezes.

pólen bold 90 gr/m2
tipologia cambria
impresso no outono de 2020